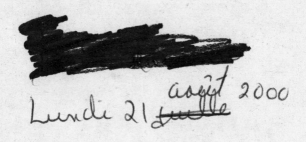

Lundi 21 ~~juillet~~ août 2000

# LE PALMARÈS ROMULIEN

# STAR TREK
## AU FLEUVE NOIR

# STAR TREK®
## LA NOUVELLE GÉNÉRATION

# LE PALMARÈS
# ROMULIEN

par

## SIMON HAWKE

FLEUVE NOIR

Titre original :
*Romulan's Prize*

Star Trek est une marque déposée de Paramount Pictures Corporation. Publié avec l'autorisation de Pocket Books, New York.

Traduit de l'américain par
Isabelle Troin

Collection dirigée par Patrice Duvic
et
Jacques Goimard

© 1997 by Paramount Pictures Corporation. Tous droits réservés.
© 1998 by Le Fleuve Noir pour la traduction en langue française
ISBN : 2-265-06448-3
ISSN : 1242-8175

# PROLOGUE

Deanna Troi s'arracha à son cauchemar avec une violence inhabituelle. Haletante et désorientée, elle s'assit dans son lit.

Sa peau et ses draps étaient trempés, mais pas de sueur. Le rythme lancinant qui lui battait les tempes n'était pas celui de son cœur. En fait, même le rêve qu'elle venait de faire n'était pas le sien, et pas davantage la volonté qui l'y avait soustraite.

Une telle expérience aurait sans doute effrayé une simple humaine. A moitié bétazoïde, Deanna possédait une empathie surdéveloppée qui l'aidait à comprendre et à accepter les sentiments extérieurs aux siens.

Pourtant, dès qu'elle réalisa ce qui venait de se passer, elle se précipita vers la porte de sa cabine, prenant à peine le temps de saisir une robe de chambre au passage.

Courant pieds nus le long du couloir incurvé, elle vit que celui-ci était éclairé par la douce lueur rouge indiquant la garde de nuit. Cet indice mis à part, Deanna n'avait aucune idée de l'heure qu'il pouvait être. Elle n'avait pas pensé à vérifier, se contentant de réagir instinctivement au lien empathique.

Elle savait à qui était le rêve qu'elle venait de partager.

Elle pouvait forger un lien empathique avec n'importe quel membre de l'équipage de l'*Entreprise*, mais un seul homme à bord avait une volonté assez puissante pour en établir un inconsciemment, avec autant de force et d'intensité.

Deanna s'arrêta devant les quartiers du capitaine et sonna. La porte glissa sur le côté ; une voix fatiguée l'invita à entrer. Il faisait noir dans le hall, mais de la lumière filtrait de la chambre. La jeune femme hésita.

— Capitaine, vous allez bien ? demanda-t-elle.

— Un instant, Conseiller. J'arrive.

Deanna attendit en se mordillant nerveusement la lèvre inférieure. Les effets du lien empathique diminuaient peu à peu ; déjà, les battements de son cœur retrouvaient un rythme normal. Elle repoussa en arrière ses cheveux noirs humides et vérifia que sa tenue était décente.

Puis le capitaine Jean-Luc Picard sortit de sa chambre. Il portait un peignoir, pas de pantoufles et arborait une expression hagarde qui ne diminuait en rien son charisme.

— Puis-je vous offrir quelque chose à boire, Conseiller ? J'ai la gorge un peu sèche.

— Juste de l'eau. Merci.

Deanna sentait la détresse de son capitaine et captait qu'il faisait de son mieux pour la masquer. Picard alla remplir deux verres et en tendit un à la jeune femme.

— Vous savez pourquoi je suis ici, lança Troi.

Picard hocha la tête.

— Asseyez-vous, Deanna.

Bien que ne prenant pas toujours le protocole militaire au pied de la lettre, Picard appelait généralement ses officiers par leur nom de famille. Deanna comprit que la discussion qui allait suivre serait d'ordre privé.

— Il semble que je vous aie involontairement alarmée. Je vous prie de m'en excuser. C'était un cauchemar, rien de plus.

— Avec tout le respect que je vous dois, c'était plus qu'un simple cauchemar, capitaine. Ce que j'ai ressenti était beaucoup plus profond.

Picard grimaça et hocha la tête.

— Très bien. Qu'avez-vous ressenti au juste ?

— De la peur. Une grande anxiété. Un sentiment d'impuissance. Presque de la panique. Bref, pas le genre de choses auxquelles vous m'avez habituée.

Picard but une gorgée d'eau.

— Jamais je ne vous aurais consciemment imposé un lien empathique, dit-il.

— Je le sais, répondit Deanna. Je pense plutôt que votre subconscient appelait à l'aide.

— Avez-vous partagé mon cauchemar, ou seulement mes sentiments ? s'enquit Picard.

Deanna hésita.

— Juste vos sentiments, je crois. Je ne me souviens de rien d'autre.

— C'est aussi bien, approuva Picard. Je vous remercie d'avoir couru à ma rescousse, mais comme vous le voyez, il n'y avait pas lieu de s'inquiéter. Encore une fois, je vous prie de m'excuser.

— Peut-être serait-il bon que nous analysions votre cauchemar ensemble, avança Deanna.

Elle n'aimait pas pousser les gens à la confidence. Picard connaissait et appréciait ses talents de psychologue, mais il avait toujours été très secret.

— Je ne crois pas que ce soit nécessaire, répondit-il avec un sourire forcé. Je vous ai suffisamment dérangée pour cette nuit. Je vous le répète : tout va bien.

Il n'était pas très convaincant ; Deanna sentit que son rêve le préoccupait encore.

— Monsieur, c'est la première fois, à ma connaissance, qu'un cauchemar vous affecte à ce point. Je suggère vivement que nous en parlions.

Picard ouvrit la bouche pour protester, puis se ravisa.

— Très bien, Conseiller, dit-il comme pour lui rappeler son rôle à bord du vaisseau. ( Il vida d'un trait le contenu de son verre et le reposa. ) J'ai rêvé que j'avais perdu le contrôle de l'*Entreprise*.

« Je ne me souviens pas des circonstances exactes, mais suite à une erreur ou à un acte délibéré de ma part, tout l'équipage se trouvait en danger, et je ne pouvais rien faire pour le sauver.

— Quel genre de danger ? s'enquit Deanna.

Picard fronça les sourcils.

— Je ne sais pas. Mais j'avais l'impression d'une catastrophe imminente, et un grand poids pesait sur mes épaules, sans doute le fardeau symbolique de mes responsabilités. ( Il grimaça. ) Je dois être un peu stressé, c'est tout. Ce genre de cauchemar est fréquent chez les capitaines de vaisseau stellaire.

— Peut-être, monsieur, mais pas chez vous, objecta Deanna. J'ai vu comment vous réagissez au stress. Même soumis à une forte pression, vous n'avez jamais manifesté de crainte ou de panique.

— Bah. Je ne suis qu'un humain, après tout, dit Picard avec un sourire ironique.

— Mais ce genre de comportement n'est pas dans votre nature, insista la jeune femme. De votre part, une réponse émotionnelle aussi forte constitue une anomalie. Et jusqu'ici, vous ne m'aviez jamais imposé de lien empathique, consciemment ou non. ( Deanna hésita, puis lâcha soudain : ) Monsieur, avez-vous jamais fait des rêves prémonitoires ?

Picard frémit, et elle comprit qu'elle avait vu juste.

— Inutile d'essayer de vous cacher quoi que ce soit, pas vrai ?

— Je ne voudrais pas me mêler de votre vie privée, mais mon rôle à bord de ce vaisseau...

— Je sais, je sais, coupa Picard. Pardonnez-moi, Conseiller. Ce n'est pas après vous mais après moi que j'en ai. Il m'est difficile de partager certaines choses de nature... disons, privée. Toutefois, s'il y va de la sécurité de mon équipage, il est de mon devoir de me faire violence.

— Donc, la réponse est oui, déduisit Deanna.

Picard hocha la tête.

— C'est vrai, j'ai déjà eu des rêves prémonitoires, mais à deux reprises seulement. La première fois, c'était la nuit où ma mère est morte. J'ai rêvé qu'elle venait me dire au revoir. Elle était malade depuis plusieurs mois déjà. Quant à la seconde fois... Je préfère ne pas en parler.

Deanna acquiesça.

— L'important, c'est que vous en ayez déjà fait. Vous deviez avoir un lien empathique très fort avec votre mère. Sans entrer dans les détails, je suppose que c'était aussi le cas avec la personne ayant fait l'objet de votre second rêve ?

— Exact.

— Bien. Vous possédez également un lien empathique avec les membres de votre équipage. Certains plus que d'autres, mais leur sécurité vous importe par-dessus tout.

— Où voulez-vous en venir, Conseiller ?

— Eh bien... Je pense que vous devriez faire un effort pour vous souvenir des détails de ce cauchemar.

Picard prit une profonde inspiration.

— Je ne peux pas. Juste après mon réveil, il y a eu quelque chose...

— Quoi donc ? Essayez de vous en rappeler.

— Un éclair, lâcha soudain Picard.

— Un éclair ? répéta Deanna, les sourcils froncés.

— Oui... Mais ça s'est passé très vite, et je ne sais pas du tout ce que ça signifie, dit Picard en haussant les épaules.

— Pourtant, je sens que ça vous perturbe.

— C'est vrai. Nous avons fait des progrès scientifiques et technologiques qui semblaient impensables il y a quelques siècles, mais nous commençons à peine à disséquer l'esprit humain. Je suis tenté de dire que je viens de faire un simple cauchemar, pourtant...

Picard laissa sa phrase en suspens.

— Très bien, dit Deanna en se levant. Si ça se reproduisait...

— Je vous appellerais, acquiesça Picard. Maintenant, retournez vous coucher. Nous devons être sur la passerelle dans quelques heures, et je vous ai suffisamment dérangée pour cette nuit.

Deanna le salua et retourna dans sa cabine. Malgré toute sa bonne volonté, elle ne put trouver le sommeil.

# CHAPITRE PREMIER

Les centurions postés à la porte ne bougèrent pas un muscle à l'approche de Valak qui, pour sa part, ne leur prêta pas plus d'attention que s'ils eussent été des statues.

S'il n'avait pas eu à faire ici, il n'aurait eu aucun espoir de franchir leur barrage. Les protocoles de sécurité romuliens étaient aussi stricts que compliqués. Bien que Valak soit d'un grade supérieur aux centurions, ceux-ci l'auraient défié s'ils n'avaient pas reçu l'ordre de le laisser passer. De toute façon, Valak n'aurait pas eu l'outrecuidance de se présenter devant le Praetor de l'Empire Romulien sans y avoir été convié.

Il entra sans frapper. On lui avait demandé de venir à une heure précise ; il n'avait pas une seconde d'avance ou de retard.

Dans la société humaine, cette façon de faire aurait été considérée comme très inconvenante. Les humains observaient de si étranges coutumes ! Il les avait étudiées en détail : un guerrier avait le devoir de bien connaître ses ennemis.

La plupart des Romuliens se jugeaient supérieurs aux humains ; selon Valak, il n'en restait pas moins très important de connaître leur mode de vie et de pensée. Il enjoignait souvent à son équipage de ne rien considérer comme acquis : un esprit supérieur pouvait commettre une erreur, et même un esprit inférieur pouvait bénéficier d'un coup de chance.

Valak avait grandi dans une des provinces éloignées de l'Empire Romulien, sur une planète primitive habitée depuis peu. Les colons n'avaient pas eu de culture indigène à dominer, mais leur monde abritait une multitude de créatures dangereuses nullement impressionnées par leur supériorité intellectuelle.

Valak avait appris à chasser dès qu'il avait su mettre un pied devant l'autre, et son père lui avait enseigné le respect de ses proies. Il était très attaché aux vieilles valeurs de la culture romulienne, que de nombreux mondes tenaient pour dépassées. Les traditions romuliennes s'appuyaient sur le mysticisme et la philosophie, à l'instar des traditions vulcaines, dont elles partageaient les racines.

Valak considérait les humains comme des proies. Contrairement à ses congénères, il éprouvait pour eux un certain respect. La plupart des Romuliens tenaient les Terriens pour faibles et décadents ; ils étaient persuadés de les soumettre un jour à leur autorité. Valak, lui, n'en était pas si sûr.

Il avait étudié les humains et conclu que ceux-ci étaient simplement différents. Ils souscrivaient à une moralité et défendaient une structure sociale incompréhensible pour les Romuliens. En décortiquant leur histoire, leurs écrits et leurs coutumes, Valak avait acquis pour eux le respect qu'un chasseur éprouve pour le comportement naturel de sa proie.

Il avait écrit sur le sujet des dizaines d'articles applaudis par les érudits romuliens, mais considérés comme excentriques par ses collègues officiers. Sans doute était-il encore trop jeune pour qu'on le prenne au sérieux. Et pourtant, ses états de service parlaient d'eux-mêmes, comme en témoignait l'invitation à comparaître devant le Praetor.

Valak s'immobilisa à la distance requise du trône et attendit dans la posture protocolaire du guerrier romulien :

les jambes légèrement écartées, le dos droit, les épaules carrées, le regard fixé devant lui, les bras croisés à hauteur de la ceinture, le poignet droit enserrant le gauche.

Le Praetor lui tournait le dos. Son trône faisait face à un écran géant montrant le visage d'un membre du Haut Conseil. Sans doute suivait-il une conférence. Quelques instants plus tard, le visage disparut ; l'écran s'éteignit et redevint une fenêtre par où on pouvait contempler les lumières de la capitale romulienne.

Le trône pivota en silence. Les avant-bras du Praetor reposaient sur des accoudoirs munis de consoles miniatures. Il portait un casque avec micro incorporé, dont il s'était probablement servi pour communiquer avec le Conseil. Alors qu'il faisait face à Valak, le casque se souleva et se rétracta à l'intérieur du dossier de son siège.

— Commander Valak, dit simplement le Praetor.

De son poing droit, le guerrier se frappa le côté gauche de la poitrine. Le Praetor ne rendit pas le salut qui lui était dû, et qui n'appelait pas de réponse de sa part. Mais il inclina légèrement la tête : un geste de respect qui fit chaud au cœur de Valak.

— Je suis très honoré, seigneur, dit le guerrier.

Au cours de sa carrière militaire, le seigneur Darok avait accumulé un nombre de victoires sans précédent. Il avait progressé au mérite, sans jamais utiliser ses relations pour obtenir de l'avancement.

Il s'était retiré de l'armée depuis de nombreuses années, mais l'âge n'avait en rien diminué l'impression de force qu'il dégageait. Son visage était ridé, ses cheveux blancs, pourtant ses traits avaient conservé tout leur caractère, son regard gardant son autorité. Il s'exprimait d'une voix forte, sans la moindre trace d'hésitation, et sa posture restait toujours celle d'un guerrier.

C'était la première fois que Valak le rencontrait, et il en fut très impressionné. Le seigneur Darok était un vrai Romulien.

Aucun siège n'avait été préparé pour le visiteur, mais il ne s'en étonna pas. Personne n'était censé s'asseoir en présence du Praetor. Celui-ci détailla longuement le guerrier, puis hocha la tête comme s'il était satisfait par ce qu'il voyait.

— Vous devez vous demander pourquoi je vous ai convoqué, dit-il enfin.

Valak ne répondit pas. C'était une affirmation plutôt qu'une question, et il eût été inconvenant de sa part de prendre la parole.

— Vous avez été choisi pour une mission spéciale, expliqua Darok. Une mission pour laquelle vous êtes le seul soldat vraiment qualifié.

Valak sentit son pouls s'accélérer. C'était un grand honneur et une occasion rare de briller.

— Vos états de service sont très élogieux, mais ils n'auraient pas suffi à motiver votre nomination. Nos meilleurs érudits m'ont affirmé que vous étiez expert en culture humaine, et que vous aviez notamment réalisé une étude sur Starfleet Command : son histoire, son organisation, ses procédures et son personnel.

« Je sais que ce genre de préoccupation passe pour futile au sein de notre armée. Mais je ne suis pas d'accord. Pour moi, il est bon que l'esprit d'un guerrier reste vif et en alerte. ( Le Praetor marqua une brève pause. ) Vous êtes né sur Abraxas IX, n'est-ce pas ?

— Oui, seigneur.

— Avez-vous déjà chassé le syrinx ?

— J'en ai tué trois.

Darok leva les sourcils.

— Trois ? C'est remarquable. J'en ai moi-même tué un seul, et cela faillit me coûter la vie. Le syrinx est une proie imprévisible et dangereuse. A quoi attribuez-vous votre succès ?

— A l'entraînement dispensé par mon père. Et au fait d'être né sur Abraxas IX et de bien connaître l'habitat naturel du syrinx, répondit Valak.

Darok eut un léger sourire.

— Une réponse très diplomatique, acquiesça-t-il. Mais ne serait-ce pas plutôt parce que vous aviez étudié le comportement du syrinx avant de vous lancer sur ses traces ?

— C'est exact, seigneur. Mon père disait toujours que la préparation constitue une étape vitale de la chasse. Il pensait qu'un chasseur devait respecter sa proie. Pour cela, il doit la connaître et la comprendre.

Darok hocha la tête.

— Mon père aussi croyait aux anciennes valeurs. Malheureusement, nous nous en sommes trop écartés à cause de notre soif de progrès et de conquêtes.

« J'étais très jeune quand je me suis rendu sur Abraxas IX. Je ne recherchais qu'un trophée et l'excitation de la chasse. Dans mon impatience et ma vanité, je ne me suis pas du tout préparé. C'est une erreur que je ne commettrai plus.

« Un passé de chasseur est généralement bénéfique pour les guerriers : il leur enseigne la patience et le respect de l'ennemi. J'ai lu les articles que vous avez soumis à l'Académie. Vous vous efforcez de comprendre les humains, et vous les respectez visiblement. Ne les considérez-vous pas comme une race inférieure ?

— Seigneur, un érudit doit se montrer le plus objectif possible, dit prudemment Valak. Les échelles de valeur n'ont pas de place dans son esprit.

— Une fois de plus, vous esquivez ma question, fit remarquer Darok.

— Parce qu'il n'existe pas de réponse évidente.

— Peu m'importe, pourvu qu'elle soit intéressante.

— Dans ce cas, je vais faire de mon mieux, dit Valak en s'humectant les lèvres. Physiquement, les humains sont inférieurs à nous. Ils sont moins forts, moins rapides et moins résistants. De plus, leurs perceptions ne sont guère développées.

17

« En revanche, ils sont intelligents et ils ont trouvé des moyens de compenser leurs faiblesses grâce à l'entraînement et à la technologie. Par exemple, j'ai étudié leurs nombreux arts martiaux et découvert que ceux qui les maîtrisent sont au moins aussi redoutables que nos guerriers.

Darok sembla surpris, mais n'interrompit pas Valak.

— Pour ce qui est de leur moralité et de leur philosophie... Elles sont très complexes et varient d'une culture à l'autre, ce qui n'est pas le cas dans l'Empire Romulien. Notre civilisation est remarquable d'unité et de cohérence. Ça ne la rend pas supérieure à celle des humains, simplement différente.

« D'ailleurs, il existe des humains qui trouvent notre culture attrayante, et qui, à cause de cela, sont mal perçus par leurs semblables.

— Vraiment ? C'est très intéressant, murmura Darok. Continuez, je vous prie.

— Leurs connaissances scientifiques sont légèrement inférieures aux nôtres. Par exemple, ils se montrent incapables de produire des boucliers d'invisibilité. Mais leurs vaisseaux et leurs armes sont nos égaux sur bien d'autres plans, et nous dépassent même pour ce qui est de l'équipement informatique.

« Je ne veux pas vous ennuyer avec une longue énumération : j'essayais seulement d'illustrer mon point de vue. Que les humains nous soient inférieurs ou pas dépend de la façon dont vous définissez l'infériorité.

« Le syrinx offre une excellente analogie. Je suis plus intelligent que lui et je peux utiliser des armes, mais si je pense que ces avantages suffiront à m'assurer une victoire facile, je risque fort d'y laisser la vie.

Darok hocha la tête.

— Je vois que j'ai bien choisi, commander Valak. Cette mission sera vitale pour l'Empire Romulien autant que pour vous. A cause de sa nature confidentielle, vous ne recevrez vos ordres qu'après avoir décollé. Vous partez immédiatement. Une escorte vous attend dehors.

— Pardonnez-moi, seigneur, mais je crains que mon vaisseau ne soit pas en état de reprendre du service tout de suite, dit Valak. Même si les ingénieurs y travaillent sans relâche, ils en ont au moins pour une semaine de réparations.

— Ne vous en faites pas : on vous a assigné un autre vaisseau. Vous prendrez le commandement de l'Oiseau de Proie *Syrinx*. ( Darok sourit en voyant la réaction de Valak. ) Je savais que vous trouveriez ce nom approprié. Je l'ai choisi moi-même, à l'instant. C'est le premier des nouveaux navires de la classe D'Kazanak. Votre équipage y a été transféré pendant notre conversation.

Valak avait du mal à réprimer son excitation. C'était un grand honneur, surtout pour un officier si jeune. La conception des D'Kazanak avait été entourée d'un grand secret. Il ne savait même pas à quoi ils ressemblaient, ni où ils avaient été construits.

On chuchotait qu'ils seraient plus gros, plus rapides et mieux armés que les D'Deridex, capables de rivaliser avec les Galaxie de la Fédération. Mais en l'absence d'informations officielles, les suppositions allaient bon train.

Les vaisseaux de la classe Galaxie possédaient un grand avantage sur les D'Deridex : ils pouvaient se déplacer à une vitesse de distorsion de 9,6, soit 1,909 fois celle de la lumière. En cas d'urgence, leurs moteurs pouvaient pousser jusqu'à la distorsion 9,9 pendant quelques minutes, avant épuisement des cristaux de dilithium gérant la réaction d'antimatière.

Aucun réacteur ne pouvait pousser un moteur jusqu'à la distorsion 10, limite universelle de la vitesse. Selon la théorie de la relativité formulée par le scientifique terrien Einstein, un vaisseau se déplaçant à cette vitesse aurait dû posséder une masse infinie, ce qui était bien sûr impossible.

A l'intérieur de ces limites absolues, les navires de classe Galaxie de la Fédération étaient les plus puissants de tous les vaisseaux stellaires. Les Oiseaux-de-Guerre romuliens venaient juste après... Mais peut-être allaient-ils enfin les rattraper.

Selon la rumeur, les D'Kazanak possédaient des moteurs de distorsion aussi efficaces que ceux de Starfleet. On parlait également d'un nouveau bouclier d'invisibilité qui, contrairement à ses prédécesseurs, ne laisserait pas de trace fantôme détectable par les senseurs de la Fédération.

On disait aussi que l'armée romulienne avait mis au point des disrupteurs pouvant être utilisés en même temps qu'un bouclier d'invisibilité, ce qui n'était pas le cas sur les D'Deridex et posait des problèmes depuis des dizaines d'années.

Valak saurait bientôt si toutes ces rumeurs étaient fondées. Il sortit de l'antichambre du Praetor et, le cœur battant à tout rompre, s'éloigna dans le couloir.

Son escorte lui emboîta le pas : une garde d'honneur, l'élite de la classe guerrière romulienne. Ses membres portaient une armure de bataille noire et se déplaçaient en parfaite synchronisation.

Les gens s'écartèrent pour les laisser passer. Parfois, ils les suivaient du regard. Les plus observateurs purent remarquer un nouvel insigne sur la poitrine de Valak : un badge blanc traversé par deux éclairs noirs sur lesquels se détachait en lettres rouges stylisées le nom de « D'Kazanak ».

Le seigneur Darok l'avait épinglé lui-même sur la poitrine de Valak.

Les gardes escortèrent Valak jusqu'à une navette et le saluèrent pendant qu'il embarquait. Le guerrier prit place dans le siège du passager ; le pilote décolla sans attendre. La navette survola la station orbitale surplombant la capitale et s'élança vers les ténèbres de l'espace.

Valak jeta un regard au pilote concentré sur ses appareils de navigation. A quelle distance se trouvait encore le *Syrinx* ? Ils atteindraient bientôt le point où la navette n'aurait plus assez de carburant pour retourner à la base.

Le pilote dut deviner les préoccupations de son passager.

— Je ne rentre pas, commander, expliqua-t-il spontanément. J'ai eu le privilège d'être affecté à cette mission. Pardonnez-moi de ne pas m'être présenté plus tôt, mais le temps a manqué pour observer le protocole.

Valak hocha la tête.

— Quel est votre nom, centurion ?

— Atalan.

— Et quelle était votre affectation précédente ?

— J'avais l'honneur d'être le pilote et le navigateur de l'Oiseau de Proie *Kazar*.

— Le vaisseau du commander Gorak, approuva Valak. Je le connais bien. Mais j'ai déjà dans mon équipage quelqu'un qui remplit ces fonctions. Je ne peux vous offrir un poste similaire.

— Je le sais, commander. J'ai demandé à embarquer avec vous quelle que soit la fonction qui m'échoirait. Durant cette mission, je serai votre ingénieur en second.

Valak haussa les sourcils.

— C'est un poste beaucoup moins prestigieux que le précédent, fit-il remarquer.

— Oui. Mais le privilège de servir sous vos ordres, à bord du premier D'Kazanak, compense largement cet inconvénient.

Valak acquiesça et jeta un regard inquiet à la jauge de carburant.

— Nous sommes dans le rouge. Etes-vous certain d'avoir programmé la bonne trajectoire ?

— Tout à fait certain, commander. Avec votre permission, je vais entrer en contact avec le *Syrinx*.

— Permission accordée.

— Navette à *Syrinx*, dit le pilote dans le micro de son casque. Navette à *Syrinx*. Le commander Valak se trouve à mon bord. Demandons permission d'atterrir.

— Permission accordée, répondit une voix.

Soudain, les ténèbres scintillèrent devant la navette. Le *Syrinx* baissa son bouclier d'invisibilité et apparut devant les yeux ébahis de Valak.

Le guerrier jura tout bas, invoquant les dieux de ses ancêtres. Le vaisseau était énorme, presque deux fois plus gros qu'un D'Deridex, et ses lignes évoquaient celles d'un majestueux rapace.

Le plus étonnant, c'était que rien n'aurait pu trahir sa présence tant que son bouclier d'invisibilité était activé. Valak n'avait même pas décelé les minuscules fluctuations produites par les D'Deridex, ni la légère distorsion semblable à un écho visuel qu'on appelait « trace fantôme ». On eût dit que le *Syrinx* avait jailli de nulle part.

Ainsi, les rumeurs étaient fondées. Même le plus expérimenté des capitaines de la Fédération ne pourrait détecter un D'Kazanak, se dit Valak, le souffle court. La navette pénétra dans le hangar ; le sas se referma derrière elle.

Quelques instants plus tard, l'équipage de Valak se dirigea vers son commander en formation de parade. Il était conduit par le premier officier, suivi de ses collègues par ordre de grade décroissant : d'abord le pilote et l'officier de l'armement, puis l'ingénieur en chef, l'officier des communications, l'officier scientifique, celui de la sécurité, le médecin de bord et ainsi de suite. Tous s'arrêtèrent devant la rampe d'accès de la navette et effectuèrent un salut impeccable.

— Bienvenue à bord, commander, dit Korak, le premier officier. Le *Syrinx* est à vous. Nous nous tenons prêts à exécuter vos ordres.

Valak parcourut son équipage du regard. C'étaient les meilleurs guerriers qu'un Romulien puisse diriger. La plupart avaient déjà servi à bord de son ancien vaisseau, mais il apercevait quelques nouvelles recrues. Il devrait vérifier leur dossier et s'entretenir avec chacune d'elles. Par pur acquis de conscience, car seul le dessus du panier pouvait avoir été affecté sur le premier D'Kazanak.

Il y avait beaucoup à faire. D'abord, se familiariser avec le *Syrinx* et effectuer tous les contrôles de routine. Son ingénieur en chef s'en était certainement déjà chargé, mais un bon commander vérifiait toujours les choses. Personne à bord ne prendrait une minute de repos tant que le vaisseau ne serait pas devenu comme une extension de son corps.

Une silhouette pénétra dans le hangar et s'approcha de Valak avec une démarche nonchalante que celui-ci n'aurait jamais tolérée chez un membre de son équipage. C'était un Romulien dans la fleur de l'âge. Il portait une tunique et un pantalon noirs, dépourvus de tout insigne de rang ou de caste.

Un civil. Valak fronça les sourcils. Que faisait-il sur son vaisseau ? Le seigneur Darok lui infligeait-il la présence d'un bureaucrate du Haut Conseil Romulien ?

— C'est un honneur pour moi de vous accueillir à mon bord, commander, déclara le nouveau venu.

Valak le toisa froidement.

— *Votre* bord ?

Le civil eut un sourire contrit.

— Mille excuses. Bien entendu, le *Syrinx* est à vous. Mais je le considère un peu comme mon bébé, puisque c'est moi qui l'ai conçu. Je suis le seigneur Kazanak.

Valak fut pris au dépourvu.

— Pardonnez-moi. Je crains de ne pas avoir bien entendu. Vous seriez... le seigneur Kazanak ?

— C'est exact, commander.

Valak s'inclina respectueusement, comme il convenait devant un civil de haut rang.

— Puis-je vous poser une question ?

— Faites.

— Je croyais que ce vaisseau avait été baptisé ainsi en hommage au seigneur Kazanak, président de notre Haut Conseil. Aurais-je l'honneur de m'adresser à son fils ?

— Le président du Haut Conseil est bien mon estimé père. Quant au *Syrinx*, il représente l'apothéose de toute une vie passée au service de la technologie. C'est pourquoi on m'a autorisé à vous accompagner. Je vous aiderai à vous familiariser avec son équipement, et j'en profiterai pour évaluer ses performances.

Valak tenta de cacher sa déception.

— Je vois, dit-il sur un ton neutre. Dois-je comprendre que le but de cette mission consiste à tester le *Syrinx* ?

Kazanak sourit.

— En partie, commander. En partie seulement. Comme ce sont le seigneur Darok et mon père qui en ont défini les objectifs, ils m'ont chargé de vous les communiquer. Cela mis à part, rassurez-vous : je ne suis là que pour vous conseiller au sujet des possibilités techniques du *Syrinx*.

Valak hocha la tête.

— Très bien. Allons en discuter ensemble dans mes quartiers. Si vous voulez me montrer le chemin...

# CHAPITRE II

L'enseigne Ro Laren fronça les sourcils. Elle venait juste de commencer son quart, à l'heure pile comme toujours. Bien que ça ne soit pas dans sa nature, elle se faisait un devoir de respecter les consignes à la lettre. Elle aurait dû s'y mettre plus tôt : ça lui aurait évité un désagréable séjour en prison, avant qu'on la recrute pour une mission spéciale et qu'elle finisse par intégrer l'équipage de l'*Entreprise*.

Depuis qu'elle avait accepté l'invitation du capitaine Picard ( qui, fin renard, la lui avait lancée comme un défi ), Ro avait su se faire accepter par le reste du personnel. Mais elle ne s'était jamais fondue dans la masse : d'origine bajorane, elle se sentait étrangère parmi la majorité d'humains qui composaient l'équipage.

Personne à bord de l'*Entreprise* ne la traitait différemment à cause de sa race, mais Ro possédait encore les mécanismes de défense qu'elle avait dû développer très tôt dans son enfance.

Il y avait chez elle quelque chose d'agressif, de hautain et de solitaire qu'elle portait comme un étendard. Bajorane et fière de l'être, elle ne ratait pas une occasion de se distinguer des autres.

Deanna Troi lui aurait probablement dit qu'elle craignait de se montrer vulnérable : un risque que les humains comprenaient et acceptaient, en contrepartie des relations intimes qu'ils développaient avec leur entourage. Mais Ro n'avait jamais demandé son avis à Troi, et celle-ci possédait trop de tact pour le lui donner sans qu'elle l'ait sollicité.

Le temps viendrait peut-être à bout de la réserve de Ro. En attendant, la jeune femme cohabitait nerveusement avec le reste de l'équipage. Pour que personne n'ait rien à lui reprocher, elle s'acquittait de ses devoirs de façon exemplaire. Chaque fois qu'elle s'asseyait devant sa console, elle suivait la procédure avec zèle, lançant une vérification des senseurs doublée d'un contrôle de fréquence multibande.

Elle ne s'attendait pas à trouver quoi que ce soit d'anormal : les membres de l'équipe technique étaient trop consciencieux. Geordi La Forge n'eut pas toléré qu'il en soit autrement. Aussi fut-elle surprise de capter l'écho d'une lointaine transmission, sur une fréquence que les vaisseaux de la Fédération n'employaient pas en temps normal.

— Monsieur, je détecte des résidus de transmission subspatiale, annonça-t-elle au commander William Riker.

— Identification, ordonna Riker sur le ton formel qu'il employait quand il remplaçait Picard sur la passerelle.

Le reste du temps, il s'adressait à ses subordonnés d'une façon que Ro trouvait presque trop familière. Mais les membres de l'équipage de l'*Entreprise* formaient une petite communauté aux liens très étroits, ce qui n'était pas pour autant incompatible avec la discipline.

Si Riker semblait parfois trop décontracté, il savait aussi, le cas échéant, faire siffler son fouet aux oreilles de l'équipage.

Ses subordonnés connaissaient l'affection qu'il leur portait, et s'efforçaient toujours de donner le meilleur d'eux-mêmes pour le satisfaire. Ainsi, l'*Entreprise* était un des vaisseaux les plus efficaces de Starfleet.

Ro régla les senseurs pour qu'ils se focalisent sur l'écho. Des informations défilèrent sur son écran, tandis que les récepteurs filtraient les interférences subspatiales pour identifier la fréquence. La jeune femme secoua la tête, perplexe.

— C'est très lointain, monsieur... et la réception est intermittente, mais ça n'utilise aucune des bandes de fréquence normales de la Fédération.

— Monsieur Worf, ordonna Riker, effectuez un recoupement avec les bases de données de l'ordinateur central.

— C'est déjà fait, monsieur, dit le Klingon, qui avait anticipé la requête de son supérieur. J'aurai les résultats dans une seconde.... ( Soudain, il se raidit et leva les yeux sur Riker. ) Monsieur, c'est une fréquence romulienne.

Riker se pencha en avant.

— Enseigne, pouvez-vous amplifier la réception ?

— Tout de suite... On dirait un signal de détresse, monsieur, annonça Ro, surprise.

— Trouvez-moi les coordonnées de sa source.

Les doigts de la jeune femme volèrent sur sa console. Elle fronça les sourcils.

— Ça ne colle pas.

— Que se passe-t-il ?

— L'ordinateur me donne des coordonnées proches de la Zone Neutre... Mais côté Fédération.

Riker activa le communicateur en forme de delta épinglé sur sa poitrine.

— Riker au capitaine Picard, dit-il. Merci de me rejoindre immédiatement sur la passerelle.

La réponse ne tarda pas.

— J'arrive, numéro un.

Riker éteignit son commbadge.

— Monsieur Data, je veux les coordonnées précises de la source de cette transmission.

— Bien compris, monsieur, répondit l'androïde en se mettant au travail.

Quelques instants plus tard, le capitaine Jean-Luc Picard sortit de l'ascenseur et pénétra sur la passerelle.

Grand et nerveux, il se dirigea d'une démarche fluide vers son fauteuil de commandement.

— Au rapport, numéro un, ordonna-t-il.

— Monsieur, nous avons détecté un signal de détresse romulien provenant de l'espace fédéral, non loin de la Zone Neutre.

— Avez-vous programmé son interception ? s'enquit Picard.

— Interception programmée, confirma Data.

— Bien, allons-y. Facteur de distorsion trois. Engagez.

Alors que les moteurs de l'*Entreprise* se mettaient à bourdonner, Picard jeta un coup d'œil à son second.

— Qu'en dites-vous, numéro un ?

Riker secoua la tête.

— Pas grand-chose, monsieur. Ça pourrait être un véritable signal de détresse, auquel cas la violation de notre espace serait accidentelle. Un vaisseau endommagé peut avoir dérivé de notre côté de la frontière, surtout s'il patrouillait du côté romulien. Mais il se peut aussi que ce soit un piège.

Picard acquiesça.

— Dans un cas comme dans l'autre, il faut nous montrer prudents. Si nous avons affaire à un vaisseau accidenté, nous devons lui porter secours.

— A condition que les Romuliens acceptent notre aide, fit remarquer Riker.

— Ce qui semble peu probable, convint Picard.

— Et si ce vaisseau a vraiment eu un problème, un autre bâtiment romulien répondra peut-être à son appel de détresse avant nous. Ne croyez-vous pas que nous devrions aviser Starfleet ?

— Pas encore. Nous ne possédons pas assez d'informations pour présenter un rapport complet. Restons sur nos gardes. Nous aviserons quand nous en saurons davantage.

Tous les membres de l'équipage rejoignirent leur poste et effectuèrent les contrôles de routine. Bientôt, l'*Entreprise* approcha de la source de la transmission.

— Monsieur, nous devrions arriver à portée de senseurs d'ici quelques secondes, annonça Data.

— Repassez en propulsion auxiliaire. Activez l'écran principal. Alerte orange.

Alors que l'*Entreprise* ralentissait, Deanna Troi, La Forge et plusieurs autres officiers pénétrèrent sur la passerelle pour compléter l'équipe selon le protocole d'alerte. Troi s'assit à la gauche du capitaine, Worf à la station tactique, Data et Ro aux stations de navigation, Riker à la droite de Picard et La Forge à la console d'ingénierie. Malgré une certaine tension, tous s'installèrent à leur poste avec calme et efficacité.

— Nous arrivons à portée visuelle, monsieur, reprit Data. Les senseurs montrent un vaisseau non-identifié, coordonnées zéro trois six par deux cinq.

— En visuel, ordonna Picard.

L'écran principal apparut telle une fenêtre ouverte sur les ténèbres remplies d'étoiles. Au loin, on distinguait un minuscule point lumineux : la source du signal de détresse.

— C'est un signal automatique, émis sur une fréquence codée, annonça Worf.

— Amplification maximale, monsieur Data, dit Picard.

— Amplification maximale, confirma l'androïde.

L'image s'agrandit. Picard se pencha en avant, les yeux exorbités. Riker bondit sur ses pieds.

— Qu'est-ce que... ? marmonna Geordi La Forge, ébahi.

Jamais ils n'avaient vu de vaisseau semblable à celui qui dérivait devant eux. Ses lignes vaguement familières étaient indiscutablement romuliennes, mais il faisait deux fois la taille d'un navire de la classe D'Deridex.

Configuré comme un Oiseau de Proie, il possédait des nacelles de distorsion plus puissantes et toute sorte d'autres innovations qui hérissaient sa coque. La Forge poussa un sifflement admiratif.

— L'*Entreprise* est minuscule à côté de... cette chose.

— Monsieur Riker, alerte rouge, dit Picard d'une voix tendue.

— Alerte rouge ! Tous aux postes de combat !

Les sirènes se déclenchèrent. Picard se leva et s'approcha de l'écran, le regard rivé sur l'Oiseau de Proie.

— Qu'en pensez-vous, monsieur Worf ? demanda-t-il.

Le Klingon secoua la tête.

— Ce n'est pas un D'Deridex standard, capitaine. Je penche plutôt pour un nouveau modèle. ( Il jeta un coup d'œil à sa console. ) Mais je ne détecte aucun signe d'activité à bord. Ils n'ont même pas levé leur bouclier.

— Statut, monsieur Data ?

L'androïde consulta ses cadrans, assimilant les informations cent fois plus vite que n'importe quel humain.

— On dirait que tous les circuits sont coupés, monsieur. Aucun signe de vie à bord. Les systèmes environnementaux ne fonctionnent plus. Le signal de détresse est automatique. ( Data leva les yeux vers Picard. ) Ils sont tous morts, monsieur.

— Morts ? répéta Picard, incrédule.

— Ça pourrait être un piège, intervint Riker.

— Monsieur Worf ?

Le Klingon secoua la tête.

— A cette distance, ils nous ont forcément détectés. Or, ils n'activent pas leurs boucliers et ils ne nous ont même pas scannés. Si on ajoute que leur vaisseau dérive... Je pense que nous sommes en présence d'une épave.

— Monsieur Data, les senseurs à longue portée indiquent-ils la présence d'autres vaisseaux romuliens dans le secteur ?

— Négatif, monsieur, répondit l'androïde.

— Maintenez l'alerte rouge. Ralentissez de moitié, ordonna Picard. Monsieur La Forge, votre opinion ?

— Je n'ai jamais rien vu de pareil, monsieur, avoua l'ingénieur. Ce vaisseau appartient à une nouvelle génération d'Oiseaux de Proie qui fait paraître les D'Deridex aussi obsolètes que nos vieux Constitution.

« Peut-être est-ce un prototype dont nous n'avons pas entendu parler. S'il s'agit vraiment d'une épave, je pense que nous devrions saisir cette occasion. Nous pourrions téléporter une équipe à bord et...

— Il est encore un peu tôt pour ça, coupa Picard.

Il serra les dents. Tous les muscles de son corps étaient tendus à se rompre. Quelque chose clochait, il le sentait. L'équipage avait les yeux fixés sur lui. Personne ne parlait. Tous attendaient ses ordres.

— Statut, monsieur Data ?

— Pas de changement, annonça l'androïde. Les systèmes environnementaux sont toujours coupés.

— Peut-être ont-ils eu une panne entraînant la mort de l'équipage, suggéra Riker. Si nous sommes en présence d'un prototype, une erreur de conception n'est pas à exclure.

— Mais ils devaient bien avoir des systèmes de secours, protesta Troi. Ou des combinaisons de survie qu'ils auraient pu enfiler en attendant la fin des réparations.

— Pas forcément, objecta Riker. Chez les Romuliens, la sécurité de l'équipage ne constitue pas une priorité. Et les systèmes secondaires ont pu tomber en panne en même temps que les autres.

Troi fit une moue sceptique.

— Avez-vous quelque chose à dire, Conseiller ? s'enquit Picard.

— Non, monsieur, répondit la jeune femme à contre-cœur. Faute d'individus sur lesquels baser une lecture empathique, je ne peux que vous suggérer la plus grande prudence.

— J'y songeais aussi, grimaça Picard.

— Tout de même ! s'enflamma La Forge. C'est une occasion inespérée ! Une chance d'examiner la nouvelle génération de vaisseaux romuliens, voire de récupérer leurs codes, leurs fichiers...

— Oui, oui. Je suis conscient de tout ça. Mais rien ne dit qu'il ne s'agit pas d'un piège, insista Picard.

— Monsieur, intervint Worf, je ne détecte aucune forme de vie à bord, et les moteurs sont éteints. Même s'il s'agissait d'une ruse, à cette distance, ils ne pourraient rallumer leurs systèmes à temps pour constituer une menace. Le vaisseau est à notre merci.

— Je sais. Mais ça semble trop facile, répliqua Picard, agacé.

— Pourquoi envoyer un prototype en mission sans même lui affecter d'escorte ? intervint Ro. Ça n'a pas de sens.

— Pour nous, non. Mais les Romuliens sont obsédés par le secret, répondit Riker. Si leur nouveau joujou présentait la moindre anomalie, ils ne voudraient surtout pas que ça s'ébruite. C'est typique de leur fierté et de leur arrogance. Ils n'admettront jamais avoir commis une erreur.

— On dirait pourtant que c'est le cas, fit remarquer La Forge. Capitaine, il ne reste sans doute pas beaucoup de temps avant que d'autres vaisseaux romuliens captent le signal et arrivent par dizaines.

« Nous disposons d'une marge de manœuvre, mais elle est très étroite. Avec tout le respect que je vous dois, nous ne pouvons pas l'ignorer.

— Geordi a raison, capitaine, approuva Riker. De plus, nous avons la loi pour nous. Même s'il ne reste personne à bord, cet Oiseau de Proie a violé nos frontières. Techniquement, nous avons le droit d'en prendre possession.

Picard secoua la tête.

— Il n'en est pas question, numéro un. Nous devrons le rendre aux autorités romuliennes. Ou nous risquerions de créer un incident diplomatique qui briserait la trêve. Mais je suis d'accord avec vous : nous pouvons explorer le vaisseau avant l'arrivée des renforts.

— Je prépare une équipe, monsieur ?

— Oui. Et pensez à enfiler des combinaisons protectrices : on ne sait jamais. Enseigne Ro, effectuez des balayages senseurs réguliers. Prévenez-moi si un autre vaisseau romulien pénètre dans le secteur.

— Bien compris, monsieur.

— Repassez en alerte orange. Numéro un, c'est vous qui dirigerez l'équipe d'exploration.

— Oui, capitaine. J'emmènerai La Forge et Data en plus du personnel de la sécurité.

— Le docteur Crusher vous rejoindra dès que la voie sera libre. Je veux un rapport médical complet sur les conditions de vie à bord de l'Oiseau de Proie, ordonna Picard.

— Compris, monsieur.

— Et, numéro un... Soyez prudent.

*
* *

L'équipe d'exploration se matérialisa sur la passerelle du vaisseau romulien. Chacun de ses membres portait un fuseur de type II, réglé sur « anesthésie ». Malgré les indications des senseurs, Worf n'avait pas voulu que ses hommes courent le moindre risque.

Avant la téléportation, le personnel de la sécurité s'était disposé en cercle autour des officiers, l'arme dégainée de façon à pouvoir tirer immédiatement si les circonstances l'exigeaient. Mais cette précaution s'avéra inutile.

Pendant trente secondes après la matérialisation, personne ne bougea ou ne pipa mot. Le spectacle n'était pas beau à voir. Il rappelait à tous cruellement ce qui pourrait leur arriver en cas de défaillance des systèmes de survie de l'*Entreprise*. Une douzaine de Romuliens étaient écroulés sur leur console ou gisaient sur le sol.

— Riker à *Entreprise*, dit enfin Will dans le micro incorporé à son casque.

— Je vous écoute, numéro un, répondit la voix de Picard.

— Nous sommes sur la passerelle de l'Oiseau de Proie. Tout l'équipage est mort, apparemment par asphyxie.

Riker regarda autour de lui, puis consulta son tricordeur tandis que le reste de l'équipe se déployait.

— Je ne détecte aucun signe de vie à bord, annonça-t-il. Je répète : aucun signe de vie. Quelle que soit la nature de la catastrophe, elle a dû se produire très vite.

« A en juger par la position des corps, je dirais que les systèmes de survie ont expulsé l'air au lieu de le recycler. Nous ne sommes pas en présence d'un vide total, mais il ne reste pas assez d'oxygène pour permettre à une douzaine de personnes de respirer.

— Des signes de radiations ? s'enquit Picard.

— Négatif. La Forge examine les consoles d'ingénierie, mais je ne pense pas qu'il y ait eu de fuite. Vous pouvez nous envoyer Berverly Crusher pour qu'elle vérifie les possibilités de contamination virale.

« Même si elle en découvre, je peux vous dire que l'équipage n'est pas mort de maladie. Tous les corps présentent des signes évidents de cyanose. Je pense que la catastrophe s'est produite il y a peu de temps. Le docteur Crusher vous le confirmera.

— Avez-vous déjà vérifié les autres ponts ?

— Worf est parti avec du personnel de la sécurité. Mais s'il restait quelqu'un de vivant à bord, nous nous en serions déjà aperçus.

— Très bien. Je vous envoie le docteur Crusher et l'équipe médicale.

— Sans problème. Qu'ils n'oublient pas leurs combinaisons.

— Commander, intervint La Forge depuis une console, je peux peut-être rétablir la circulation d'oxygène. La configuration de leurs systèmes est différente de la nôtre, mais avec l'aide de Data, je devrais m'en sortir.

— Pourriez-vous remettre en marche les systèmes de survie ? s'enquit Riker.

— J'en suis presque sûr. Les appareils indiquent un résidu d'énergie. Dès que Data aura déchiffré les commandes romuliennes, je procéderai à une vérification complète. Avec un peu de chance, je découvrirai ce qui s'est passé.

Riker hocha la tête et activa son communicateur.

— Rapport, monsieur Worf.

— C'est la même chose sur les autres ponts, monsieur, annonça le Klingon. Les Romuliens gisent morts là où ils sont tombés au moment de la défaillance technique. J'en déduis que celle-ci a dû être générale.

— Autrement dit, qu'elle s'est produite dans la salle de contrôle, conclut La Forge. On arrivera peut-être à réparer en utilisant nos propres pièces détachées.

— Au travail, Geordi, ordonna Riker.

Tandis que La Forge quittait la passerelle en compagnie de Data, le docteur Crusher et son équipe se matérialisèrent derrière Riker. Tous portaient des combinaisons protectrices autonomes. Ils se mirent aussitôt en devoir d'examiner les cadavres.

— Riker à *Entreprise*.

— Je vous écoute, numéro un.

— Le docteur Crusher et son équipe viennent de nous rejoindre. La Forge est parti pour la salle de contrôle avec Data. Il pense pouvoir réparer les systèmes de survie biologique. Il ne semble pas y avoir de danger immédiat. D'autres vaisseaux romuliens ont-ils répondu au signal de détresse ?

— Négatif, numéro un. Nos senseurs à longue portée ne détectent rien.

— Me donnez-vous la permission de désactiver le signal ? s'enquit Riker. Si les Romuliens ne l'ont pas encore capté, inutile d'attirer leur attention. Ça nous laisserait les coudées un peu plus franches.

Picard ne répondit pas.

— Capitaine ?

— Je vous ai entendu, numéro un. Très bien, vous avez ma permission. Rejoignez-moi aussi vite que possible.

— Compris, monsieur. ( Riker se tourna vers Crusher. ) Je retourne à bord de l'*Entreprise*. Préparez un rapport médical complet pour le capitaine.

— Ça ne prendra pas longtemps, répondit la jeune femme. La cyanose, la température des corps, les griffures superficielles à la gorge et à la poitrine... Tout confirme votre première évaluation. Que devons-nous faire des cadavres ?

— Rien pour le moment. Je pense qu'il vaut mieux laisser les choses telles que nous les avons trouvées. Ainsi, les Romuliens ne pourront nous accuser de rien. Je veux que les faits parlent d'eux-mêmes. ( Il activa le communicateur interne à son casque. ) Riker à La Forge.

— Ici La Forge. Je vous écoute.

— Commençons par le commencement. D'abord, éteignez le signal de détresse. Puis voyez si vous pouvez réparer les systèmes de survie. Je retourne sur l'*Entreprise* et je vous envoie quelques-uns de vos hommes en renfort.

— Inutile, commander. Data m'a déjà presque tout traduit, et je pense pouvoir effectuer les réparations dans l'heure.

— Si vite ? s'étonna Riker.

— On dirait qu'il y a eu un court-circuit dans l'unité centrale de biotraitement, expliqua La Forge. Apparemment, les Romuliens n'ont pas des systèmes aussi redondants que les nôtres. Ils se contentent d'un système central et d'un réseau de distribution de secours.

« Vous n'allez pas le croire, mais il semble que le réseau en question n'ait jamais été connecté correctement. Je l'ai sous les yeux, et les fils partent dans tous les sens. Celui qui a installé ça était un sagouin. Il n'a même pas pris la peine de vérifier si ça marchait.

— Vous voulez dire qu'ils sont partis pour leur première mission sans avoir testé leurs systèmes biologiques de secours ? s'étonna Riker.

— Oh, ils l'ont sans doute fait. Mais c'est le processeur principal qui n'est pas bien connecté, et à moins de farfouiller dans la mécanique comme je viens de le faire, il n'y avait aucun moyen de s'en rendre compte tant que le système principal fonctionnait. Ensuite, c'était trop tard.

— Quelles étaient les probabilités pour que le système principal ait une défaillance ?

— Environ une sur mille. Je ne sais pas exactement, avoua La Forge. Ce vaisseau aurait pu sillonner l'espace pendant des années sans que personne ne détecte jamais le problème.

— Plusieurs milliers de vies perdues à cause d'une simple erreur de branchement, dit Riker en secouant la tête, navré. Rappelez-moi ça la prochaine fois que je vous reprocherai vos vérifications obsessionnelles.

— Commander, intervint le docteur Crusher, désolée de vous interrompre, mais nous ne pouvons rien faire de plus ici. Avec votre permission, j'aimerais me rendre à l'infirmerie. Nous ne savons presque rien de l'équipement médical romulien.

— Allez-y, approuva Riker. Mais soyez prudente. ( Puis, dans son communicateur : ) Riker à *Entreprise*. Un à remonter.

Dès qu'il fut de nouveau à bord, il alla sur la passerelle pour faire son rapport à Picard.

— Du bon travail, numéro un, dit celui-ci à la fin de son récit. Nos senseurs ne détectent toujours aucun vaisseau romulien. Mais j'ai des scrupules à avoir désactivé le signal de détresse.

— On ne pouvait plus rien faire pour l'équipage, répéta Riker. Dès que Geordi aura remis en route les systèmes de survie, nous contacterons les autorités romuliennes pour leur apprendre ce qui s'est passé.

« Entretemps, elles ne pourront pas nous en vouloir d'avoir examiné le vaisseau. C'est une épave qui dérive dans notre espace. D'un point de vue légal, nous serions en droit de la confisquer.

— J'en suis conscient, mais vous savez comment les Romuliens réagiraient à une telle décision.

— Nous pourrions envoyer un message à Starfleet, suggéra Riker. Ça mettrait la balle dans le camp de nos chefs.

— Je suis presque certain de ce qu'ils nous ordonneraient : confisquer le vaisseau et y déléguer une partie de notre équipage pour le conduire à la base stellaire la plus proche.

— Où serait le problème ?

— Les Romuliens ne l'accepteraient jamais. Ils nous accuseraient d'avoir provoqué la mort de l'équipage pour faire main basse sur leur prototype. De là à déclencher une guerre... Je ne peux pas déléguer mes responsabilités quand l'enjeu est aussi important, déclara fermement Picard.

— Je comprends que vous ne vouliez pas laisser la décision à un rond-de-cuir. Mais il faudra quand même aviser Starfleet de notre découverte, fit remarquer Riker.

— Pas avant que j'en ai mesuré toutes les conséquences potentielles.

— Sans vouloir jouer l'avocat du diable... Avez-vous songé aux *conséquences* si nous rendons le vaisseau aux Romuliens *sans* alerter les autorités de Starfleet ?

— Je n'arrête pas d'y penser, numéro un. Mais si nous pouvons établir un bilan complet de ses capacités, nos chefs seront sûrement moins fâchés. Et je considère comme prioritaire d'éviter tout incident diplomatique.

« Notre trêve avec l'Empire est déjà assez fragile. Si les Romuliens ont capté le signal de détresse, ils enverront une mission de secours. Même si nous alertons Starfleet, il y a de grandes chances pour qu'elle arrive avant que nous recevions une réponse.

— Autrement dit, nous contactons Starfleet, maintenons l'état d'alerte et tâchons de réunir autant d'informations que possible dans le temps qui nous est imparti, résuma Riker.

— Voilà.

— Monsieur, je reçois un message du commander La Forge, intervint Ro.

Picard activa son communicateur.

— Ici Picard. Rapport, monsieur La Forge.

— Capitaine, nous sommes prêts à restaurer les fonctions de support biologique à bord du vaisseau romulien, annonça l'ingénieur. Nous avons réparé et reconnecté le processeur principal, avant de le brancher à une de nos unités de secours, juste au cas où. J'ai effectué un premier contrôle : tout devrait fonctionner normalement.

— Procédez à la mise en route, ordonna Picard. Puis rejoignez-moi en salle de réunion avec le docteur Crusher, monsieur Worf et monsieur Data.

— Bien reçu, capitaine. Je contacte les autres et nous arrivons. Terminé.

Picard éteignit son communicateur.

— Je veux jeter un coup d'œil à ce vaisseau, numéro un.

— Je l'aurais parié, fit Riker.

— Mais ça attendra la fin de la réunion. ( Picard se tourna vers Deanna Troi. ) Conseiller, votre présence sera également requise. Enseigne Ro, maintenez l'alerte orange et gardez un œil sur les senseurs à longue portée. Prévenez-moi s'il y a du nouveau.

— Compris.

— Nous devons envoyer un message à Starfleet, dit Picard en se dirigeant vers l'ascenseur avec Riker. Je veux présenter un rapport complet. Pour cela, il nous faudra accéder aux banques de données du vaisseau romulien. Dès que possible, faites transférer les informations vers notre ordinateur de bord.

— Geordi s'en occupera dès qu'il aura remis en marche les systèmes de survie de l'Oiseau de Proie, répondit Riker. Et si les Romuliens ont installé des protections dans leur système informatique, Data les fera sauter en moins de temps qu'il n'en faut pour le dire.

Ils étaient à peine installés en salle de réunion quand les autres les rejoignirent et prirent place autour de la table.

— Rapport, monsieur La Forge, ordonna Picard.

— Les systèmes de survie du vaisseau romulien sont de nouveau opérationnels, annonça l'ingénieur. Mes hommes pourront quitter leur combinaison dans cinq minutes. Je leur ai ordonné de procéder à une vérification complète avant de réalimenter le reste des circuits.

Picard hocha la tête.

— Parfait. Monsieur Data, dès que nous en aurons terminé ici, vous m'accompagnerez sur la passerelle de l'Oiseau de Proie et vous m'aiderez à pirater l'ordinateur de bord.

— Compris, monsieur.

— Numéro un, vous direz à l'enseigne Ro de se tenir prête à recevoir les données dès que nous pourrons établir une communication. Assurez-vous qu'elle filtre la transmission avec nos programmes protecteurs.

« Je vous charge de coordonner les opérations depuis l'*Entreprise*. Nous n'avons pas de temps à perdre, mais il faut passer ce prototype au peigne fin.

— Très bien, acquiesça Riker. Les équipes médicales et techniques sont déjà à bord. Je vais envoyer des membres de la sécurité vérifier tous les ponts.

Picard hocha la tête.

— Et maintenant, j'aimerais discuter des options qui s'offrent à nous. Ce vaisseau est le plus puissant Oiseau de Proie que nous ayons jamais vu. Autrement dit, les Romuliens doivent y attacher un grand prix. Ils n'apprécieront guère que Starfleet pirate leurs fichiers.

« Il se pourrait même qu'ils ne nous laissent pas repartir avec ces informations. S'ils arrivent avant que nous ayons terminé nos recherches, je ne vois aucun moyen d'éviter l'affrontement. Cette épave est comme une bombe à retardement susceptible d'exploser à tout moment. C'est pourquoi j'aimerais avoir votre opinion sur le sujet.

— Il semble n'y avoir aucune menace immédiate, dit Beverly Crusher. Les membres de l'équipage sont tous morts par asphyxie suite à une défaillance des systèmes de survie. Je n'ai détecté aucune trace de contamination radioactive ou virale.

« Toutes les preuves portent à croire que la situation est claire : nous sommes face à un prototype romulien où a eu lieu un tragique accident.

— Un accident qui constitue une véritable aubaine pour la Fédération, ajouta La Forge.

Picard hocha la tête.

— Je me méfie des aubaines. Elles ont la sale manie de se retourner contre vous au dernier moment.

— Vous savez ce qu'on dit : à cheval donné, on ne regarde pas la dent, intervint Riker. Le plus dur, une fois que nous aurons achevé nos recherches, sera de décider ce que nous faisons du vaisseau.

— Les autorités de Starfleet vont vouloir le confisquer, fit remarquer Data. Après tout, c'est une épave, et il violait nos frontières spatiales.

— Le Haut Commandement se réjouira à l'idée de mettre la main sur un prototype romulien inconnu. Il ne verra pas plus loin que le trophée qu'on lui agite sous le nez, déclara Beverly Crusher.

— Mais nous, si, répliqua Picard. Nous devons penser à toutes les conséquences possibles d'un tel acte. Une décision hâtive de notre part risquerait de provoquer une guerre.

— Je suis d'accord avec vous, approuva Riker. Si nous nous emparons de leur prototype, les Romuliens deviendront fous, même si nous avons la loi de notre côté.

— Sans compter, grogna Worf, qu'ils ne voudront jamais croire notre version des faits. Ils accepteront peut-être l'idée que leur vaisseau a eu un accident et qu'il dérive de notre côté de la frontière, parce que ça les absoudra de l'accusation de violation d'un territoire. Mais ils considéreront tout de même que nous n'avions pas le droit de faire main basse sur leur prototype, et ils nous soupçonneront d'être à l'origine de l'« accident ». Parce que si la situation était inversée, c'est ainsi qu'ils auraient agi.

— La confiance n'a jamais régné entre la Fédération et l'Empire Romulien, approuva Deanna Troi. Chacun a toujours attendu le pire de l'autre. D'un point de vue logique, nous pouvons penser qu'ils réagiront avec la même méfiance que nous montrerions si la situation était inversée.

Picard hocha la tête.

— Tout à fait. Et la trêve est déjà suffisamment précaire. Nous devrons remettre l'Oiseau de Proie aux autorités romuliennes, afin de ne pas risquer un incident diplomatique.

— Mais Starfleet ne sera sans doute pas d'accord, lui rappela Riker.

— Nous l'apaiserons en lui fournissant une liste exhaustive des capacités du prototype, déclara Picard. Mais nous devrons procéder avec prudence, et il se peut que nous manquions de temps.

« Si les Romuliens débarquent avant que nous ayons terminé, je ne vois aucun moyen d'éviter une confrontation armée. Ils ne nous laisseront pas partir avec les plans et les fichiers informatiques de leur nouveau vaisseau.

— Tous les circuits du prototype sont reconnectés, intervint La Forge. Si ça en arrive là, nous pourrons toujours utiliser ses armes. Et pour peu que je comprenne le fonctionnement de son bouclier d'invisibilité, il y aura même moyen de le cacher à leur nez et à leur barbe !

— Espérons que ce sera inutile, soupira Riker. Contentons-nous de copier les banques de données pour faire plaisir à Starfleet, puis remorquons-le jusqu'à la Zone Neutre ou programmons-le pour qu'il y retourne seul. Que les Romuliens se débrouillent ensuite pour le retrouver.

— Mais s'ils y arrivent, ils découvriront l'équipage mort et les réparations que nous avons faites, objecta La Forge. Ils n'auront pas de mal à comprendre ce qui s'est produit. D'un autre côté, sans vaisseau de la Fédération dans les parages, ils ne pourront pas passer leurs nerfs sur grand-chose.

— Ils se rendront compte qu'on a accédé à leurs banques de données, renchérit Troi, mais à qui iront-ils se plaindre ?

— Exactement, dit Riker. Ils auront leur prototype, nous aurons les informations, et tout le monde sera content... ou presque. A condition, bien sûr, que nous ayons le temps d'agir comme prévu.

— Très bien. Je vois que nous sommes d'accord, se félicita Picard. Quelle que soit la tournure des événements, nous rendrons le prototype aux Romuliens. Si nous avons le temps de copier les banques de données, tant mieux. S'ils arrivent avant que nous ayons pu le faire, nous devrons nous retirer plutôt que de briser la trêve.

Tous les autres hochèrent la tête.

— Dans ce cas, mieux vaut ne pas traîner. La réunion est terminée. Vous savez ce qui vous reste à faire.

Pendant que les officiers sortaient de la pièce, Picard retint Riker.

— Un instant, numéro un.

— Oui, monsieur ?

— Je vous laisse aux commandes pendant que je pars explorer l'épave. Maintenez l'alerte orange. Il se peut que des vaisseaux romuliens nous détectent avant que nos senseurs les repèrent. Dans ce cas, ils approcheront sûrement sous bouclier d'invisibilité.

« Mais ils devront l'abaisser avant d'ouvrir le feu. Que l'équipage se tienne prêt à rejoindre les consoles de bataille et à lever les boucliers. Si la situation se corse, ne vous occupez pas de nous récupérer. La sécurité de l'*Entreprise* avant tout.

— Compris, monsieur.

Ils prirent l'ascenseur ensemble. Picard descendit sur le pont numéro six, pendant que Riker poursuivait jusqu'à la passerelle. Le capitaine se dirigea vers la salle de téléportation.

— O'Brien, dit-il en interpellant le technicien derrière sa console, je veux me rendre immédiatement sur la passerelle du vaisseau romulien.

— Oui, monsieur.

Picard activa son communicateur.

— Picard à La Forge.

— Ici La Forge, capitaine. Je viens d'arriver. Me rejoignez-vous ?

— Dans quelques instants. Quel est le statut des systèmes de survie ?

— Ils fonctionnent à plein régime. Nous avons ôté nos combinaisons, et nous nous préparons à allumer les moteurs.

— Parfait. Terminé.

Picard éteignit son communicateur et monta sur la plate-forme de téléportation.

— Je suis prêt, O'Brien.

— Coordonnées programmées, monsieur.

— Energie.

# CHAPITRE III

Quand Picard se matérialisa sur la passerelle du vaisseau romulien, Data l'y attendait déjà. L'androïde arborait une expression neutre, mais teintée de curiosité enfantine.

Le lieutenant-commander Data était une création de feu le professeur Noonian Soong, un génie solitaire dont même les esprits les plus brillants de Starfleet avaient du mal à comprendre les travaux. A l'exception de sa peau d'albâtre synthétique et de ses yeux jaunes ( des unités cybernétiques sophistiquées ), Data avait une apparence parfaitement humaine.

Mais il n'était pas organique et ne vieillissait donc pas. Son cerveau positronique était une merveille d'intelligence artificielle, capable d'assimiler et de traiter les informations à une vitesse et avec une efficacité incroyables.

Après qu'on l'eut découvert dans le laboratoire abandonné de Soong, sur un lointain monde colonial, les scientifiques de Starfleet s'étaient battus pour l'étudier. Mais Data avait refusé de devenir un rat de laboratoire. Il voulait rester avec l'équipage de l'*Entreprise*. Malgré le soutien de Picard, quand il s'en était vu refuser la permission, il avait menacé de quitter Starfleet. Un jury s'était alors réuni pour déterminer s'il possédait des droits civiques.

Tout le problème résidait dans le niveau de perception de Data. Celui-ci reproduisait admirablement les expressions et le comportement humains, dont il faisait une étude approfondie. Il avait un insatiable désir d'apprendre et de devenir humain. D'un point de vue logique, il comprenait que son rêve ne se réaliserait jamais. D'un point de vue métaphysique, son objectif n'était pas hors d'atteinte.

Un être humain est davantage que la somme de ses composants. Le cerveau positronique de Data possédait les mêmes fonctions qu'un cerveau organique, et il les exécutait à la perfection. Mais la science n'avait toujours pas déterminé ce qui faisait une âme humaine.

Si l'intelligence et la conscience de soi constituaient les critères principaux, Data était plus que qualifié. Si c'était une question d'ADN, il n'avait aucune chance. Heureusement pour lui, définir l'humanité par la génétique aurait déclenché une controverse qu'aucun système théologique ou philosophique ne pouvait résoudre, car ce serait revenu à dire que le clonage pouvait produire une âme.

Evitant le piège métaphysique, Picard avait basé son argumentation sur l'intelligence et la conscience de soi. Il avait expliqué au jury que Data possédant les deux, sa volonté devait être respectée. Sinon le tribunal créerait un dangereux précédent susceptible d'aboutir à la création d'une race d'esclaves : un concept qui violait toutes les bases éthiques de la Fédération.

La cour n'avait pas eu le choix. Data avait donc reçu le droit à l'autodétermination. Il était devenu un membre permanent et estimé de l'équipage de l'*Entreprise*. Légalement, on ne pouvait le considérer comme un humain, mais le tribunal avait validé ses droits civiques.

Le temps viendrait où cette décision soulèverait de fascinantes questions légales et philosophiques. Pour l'heure, Data était le seul être non-organique jouissant du libre-arbitre, et il en retirait une immense fierté. Il n'était pas encore humain, mais il s'en approchait autant que possible, preuve vivante qu'une intelligence artificielle était capable de sentiments et de loyauté.

— Capitaine, dit-il alors que Picard se dirigeait vers lui, j'ai analysé le principe de fonctionnement de l'ordinateur de bord, et je l'ai préparé à copier ses banques de données dans le nôtre. Je n'attendais plus que votre autorisation.

— Parfait, monsieur Data, dit Picard en regardant autour de lui, mal à l'aise.

La passerelle de l'Oiseau de Proie était bien plus vaste que celle de l'*Entreprise* ; tout y semblait étranger et maléfique. Les cadavres n'avaient pas été déplacés depuis l'arrivée de la première équipe conduite par Riker.

Celui du capitaine, un Romulien encore jeune, gisait au pied de son trône de commandement, le visage contorsionné par une horrible grimace, les ongles enfoncés dans la chair de son cou. C'était vraiment une atroce façon de mourir, songea Picard.

La passerelle obéissait à une esthétique presque Byzantine ; elle ressemblait davantage à un lieu de culte qu'à un centre de commandement. Monté sur une estrade, le trône du capitaine rappelait celui d'un pharaon égyptien ; la double console du pilote et de l'officier tactique était surélevée à la manière d'un autel sacrificiel. Et quels sacrifices !

Chaque vaisseau stellaire possédait une personnalité propre ; celui-ci ne faisait pas exception à la règle. Tout semblait malsain à bord, et pas seulement à cause de l'aura sinistre qui enveloppait les cadavres. Picard se demanda si les autres membres de l'équipe d'exploration avaient ressenti la même chose que lui.

Il haussa les épaules. Sans doute était-ce la tension qui brouillait son jugement. Il avait très envie de jeter un coup d'œil au prototype, mais plus tôt il en aurait fini, mieux ça vaudrait. Il ne s'attarderait pas une seconde de plus que nécessaire.

Soudain, il fronça les sourcils. Quelque chose avait changé dans la posture du commandant romulien. Un instant, il avait cru le voir respirer. Mais c'était impossible : une fois de plus, son anxiété altérait ses perceptions.

— Capitaine ? appela Data. Dois-je lancer le transfert ?

Picard secoua la tête. Voilà que son imagination lui jouait des tours. Les senseurs n'avaient détecté aucun signe de vie. Il se détourna du cadavre et reporta son attention sur la tâche qui l'attendait.

— Monsieur Data, avez-vous vérifié l'existence d'éventuels programmes de protection ? demanda-t-il à l'androïde.

L'*Entreprise* en était équipé, ce qui permettait à son ordinateur central de dissimuler les fichiers les plus importants à toute personne ne possédant pas les bons codes. Si on tentait de forcer l'accès à ces fichiers, ceux-ci s'effaçaient automatiquement.

— Ce vaisseau ne semble pas en posséder, monsieur, répondit Data en s'installant à la console scientifique. J'ai déchiffré le langage de leurs logiciels. Leurs fichiers sont codés sur la base d'une simple progression mathématique.

« Il devrait être assez facile de les transférer à l'*Entreprise* et de les décoder par la suite. Bizarrement, la technologie informatique romulienne ne semble pas très évoluée.

— Ça ne me paraît pas si bizarre, dit Picard. Les Romuliens sont des guerriers dans l'âme, pas des ingénieurs. Leurs systèmes doivent être accessibles pour le personnel de la passerelle.

« Dans leur arrogance, ils n'ont sans doute pas envisagé que leur prototype puisse tomber entre des mains ennemies. En temps normal, un commandant romulien ferait sauter son vaisseau plutôt que de se rendre.

— Quel gaspillage illogique ! fit remarquer Data.

— Pas pour les Romuliens. Chez eux, la reddition est synonyme de honte et de disgrâce.

Picard parcourut une nouvelle fois la passerelle du regard. *Cette fois,* songea-t-il, *les Romuliens ont été vain-*

*cus par leur propre vaisseau.* Il entendit un faible gémissement et se tourna vers Data.

— Oui ?

L'androïde leva les yeux.

— Je n'ai rien dit, capitaine.

Picard fronça les sourcils.

— Comment ? Mais j'aurais juré...

Il entendit de nouveau le gémissement, accompagné par un bruit d'étoffe froissée. Il crut d'abord qu'un des membres de l'équipe d'exploration revenait. Puis il vit le *cadavre* de l'officier des communications bouger un bras. Il porta la main à son fuseur. Au même moment, une voix s'éleva derrière lui :

— Dégainez cette arme et vous êtes mort.

Picard fit volte-face et se trouva nez-à-nez avec le commandant romulien, qui pointait un disrupteur sur sa poitrine. Data voulut sortir son fuseur, mais le « cadavre » de l'officier scientifique romulien bondit sur ses pieds et lui appuya le canon de son arme sur la nuque.

— Lieutenant-commander Data, n'est-ce pas ? demanda Valak. Je vous déconseille toute résistance. Ce serait une honte que de détruire le seul officier androïde de Starfleet.

Les yeux écarquillés, Picard vit que tous les Romuliens se relevaient.

— Mais... C'est impossible, balbutia-t-il. Vous étiez morts !

— Comme disait votre philosophe terrien Mark Twain, « les rumeurs concernant ma mort ont été beaucoup exagérées », cita Valak. Korak, soulagez le capitaine Picard de son fuseur avant qu'il succombe à la tentation.

Alors que le premier officier romulien s'avançait pour confisquer son arme, Picard se détourna et activa son communicateur d'un geste vif.

— Picard à *Entreprise* ! Alerte rouge ! Tous aux postes de...

Korak l'assomma avec la crosse de son disrupteur. Il s'effondra sur le sol.

— Un geste admirable, capitaine, mais prévisible et donc inutile, commenta Valak. En ce moment même, mes guerriers se téléportent à bord de votre vaisseau. Korak, appelez donc l'*Entreprise*.

Le premier officier romulien se dirigea vers la console des communications.

— Canal ouvert, capitaine, annonça-t-il quelques instants plus tard.

— Ici le commander Valak de l'Oiseau de Proie romulien *Syrinx*. Votre capitaine est mon prisonnier, et nous sommes en train d'aborder votre vaisseau. Je souhaite parler à William Riker.

Picard s'assit en se massant le crâne.

— Ici le commander William Riker du vaisseau stellaire *Entreprise*, dit une voix bien connue.

Valak sourit.

— Korak, sur écran !

Picard leva la tête et aperçut un spectacle qui lui serra le cœur. Riker se tenait sur la passerelle de l'*Entreprise*, flanqué par deux Romuliens qui le menaçaient de leur disrupteur. D'autres guerriers encadraient le reste du personnel.

— Capitaine, demanda Riker, les lèvres pincées, vous allez bien ?

— Pour le moment, numéro un, dit Picard en se relevant. ( Il jeta un coup d'œil à Valak. ) Puis-je réclamer un rapport ?

— Si vous le souhaitez.

— Statut, numéro un.

Riker prit une profonde inspiration.

— Nous avons été abordés, monsieur. Les Romuliens se sont emparés de la passerelle et de la salle des machines. ( Il s'humecta les lèvres. ) Nos senseurs ont détecté des signes d'activité à bord de l'épave, mais nous avons pensé que c'était La Forge qui rallumait les moteurs. Je suis navré, monsieur.

Riker avait l'air très secoué. *Il croit que c'est sa faute,* comprit Picard.

— Vous ne pouviez pas savoir, numéro un, le rassurat-il. Etant données les circonstances, j'aurais probablement commis la même erreur. Et l'équipage ? Avons-nous subi des pertes ?

Il vit les mâchoires de Riker se contracter.

— On m'a empêché de communiquer avec l'équipe d'exploration comme avec les autres sections de l'*Entreprise*, mais il semble y avoir des pertes. On m'a également informé que des otages étaient retenus sur les ponts numéros cinq, sept, douze, quatorze et trente-six. ( Riker déglutit. ) Ils ont fait très vite, monsieur. Ils savaient exactement où ils allaient.

Picard serra les poings. L'*Entreprise* s'était jeté dans un piège complexe admirablement conçu et exécuté. Il foudroya Valak du regard.

— Vous semblez bien informé sur la configuration de mon vaisseau, fit-il remarquer d'un ton peu amène.

— J'étudie les vaisseaux stellaires de la Fédération depuis de nombreuses années, capitaine, répondit le Romulien. Pour utiliser une de vos expressions terriennes, je connais l'*Entreprise* comme ma poche.

« Je m'intéresse également au personnel de Starfleet, et c'est un grand privilège pour moi que de rencontrer le célèbre capitaine Jean-Luc Picard.

— Désolé de ne pas partager votre enthousiasme, répliqua Picard d'une voix dure. Mes compliments, commander. Votre plan était brillant. Mais si vous croyez obtenir de ma part une reddition sans condition, juste parce que vous détenez des otages, vous vous trompez !

Valak leva la main.

— Je ne m'attends sûrement pas à ce que vous vous rendiez, capitaine. Bien au contraire. J'espère que vous résisterez jusqu'au bout. Mais vous verrez que j'ai pris toutes les mesures nécessaires pour ruiner vos efforts. ( Il fit signe à son premier officier de couper la liaison avec l'*Entreprise*, puis activa son communicateur. ) Ici le commander Valak. Toutes les unités au rapport.

Picard écouta les officiers romuliens avec un sentiment de frustration croissant. Leurs ennemis avaient pris le contrôle de toutes les sections stratégiques de l'*Entreprise*. Jamais il n'aurait cru qu'une telle opération soit possible avec tant de rapidité et d'efficacité.

Pourtant, à bien y réfléchir, il voyait comment Valak s'y était pris. Le Romulien avait dû éparpiller ses groupes d'abordage dans tout le *Syrinx*, leurs coordonnées programmées en salle de téléportation. Mais un problème demeurait : comment avait-il su où les matérialiser à bord de l'*Entreprise* ?

Les pensées de Picard furent interrompues par une question de Data.

— Commander, dit l'androïde en se tournant vers Valak, puis-je vous demander comment vous avez si précisément prévu la position de l'*Entreprise* au moment de l'abordage ?

Valak sourit.

— Voyons si vos capacités de déduction sont aussi remarquables qu'on le dit. Vous possédez toutes les informations nécessaires pour trouver la réponse vous-même, sachant qu'il n'y avait qu'un seul moyen pour nous d'y parvenir.

Data fronça légèrement les sourcils.

— Votre assaut dépendait des coordonnées d'arrivée programmées pour la téléportation, commença-t-il lentement. Vous avez déjà prouvé que l'agencement intérieur de l'*Entreprise* vous était familier. Partant de là, la seule variable inconnue était la position que notre vaisseau occuperait par rapport au vôtre.

L'androïde inclina la tête tel un oiseau curieux. Valak l'observait d'un air approbateur. *On dirait qu'il s'amuse prodigieusement,* songea Picard. *Il ne ressemble à aucun des Romuliens que j'ai rencontrés.*

— Vous n'avez pas pu déterminer la position de l'*Entreprise* lors de notre arrivée, car selon toutes les apparences, vous étiez morts, reprit Data. Sans doute avez-vous employé une drogue pour plonger dans un état d'animation suspendue si profond que nos tricordeurs n'ont détecté aucune fonction vitale.

« Dans cet état, vous n'avez pu calculer la position de l'*Entreprise* par rapport au *Syrinx*. Il faut donc que vos senseurs l'aient fait automatiquement, et qu'ils aient communiqué les données à la station de téléportation. ( Data fronça les sourcils. ) Mais ça n'explique pas comment vous avez pu couvrir un aussi grand éventail de possibilités.

L'androïde s'interrompit et inclina la tête de l'autre côté. Valak le considérait avec le sourire d'un professeur face à son élève le plus doué, ou d'un scientifique devant une expérience concluante.

— Mais bien sûr ! s'exclama Data. Vous aviez programmé vos senseurs pour qu'ils se focalisent sur les émissions de nos cristaux de dilithium. Une fois notre réacteur localisé, votre ordinateur a lancé une séquence basée sur votre connaissance des vaisseaux de Starfleet, et calculé toutes les coordonnées nécessaires. J'avoue que je suis très impressionné.

— Merci, monsieur Data, répondit Valak. ( Il se tourna vers Picard. ) Votre androïde est aussi sophistiqué qu'on me l'avait dit. Il doit constituer un précieux atout pour votre équipage.

Le Romulien jouait avec ses prisonniers. Et il pouvait se le permettre, songea amèrement Picard. Pour l'instant, il avait le dessus. Il devait exister un moyen de renverser la situation, mais le capitaine ne voyait pas lequel. Il ne pouvait qu'attendre une occasion, en priant pour que Valak lui en laisse une.

Les portes de l'ascenseur s'ouvrirent. Un hurlement de rage résonna sur la passerelle tandis que cinq Romuliens traînaient vers leur commander un Worf écumant de rage. Les bras du Klingon étaient attachés dans son dos ; pourtant, il donnait du fil à retordre aux cinq guerriers. Haletants, ceux-ci le jetèrent sur le sol.

— Commander, déclara l'un d'eux, indigné, ce déchet klingon a tué quatre de nos hommes avant que nous puissions le maîtriser.

— Il n'a fait que son devoir, lâcha Valak. Je vous avais dit qu'il opposerait une farouche résistance physique.

— C'est vrai, commander, mais...

— Dans ce cas, les hommes qui sont morts n'ont eu que ce qu'ils méritaient. Le lieutenant-commander Worf est notre prisonnier, et j'exige qu'il soit traité avec le respect dû à un officier de son rang.

— Commander, vous n'allez quand même pas laisser vivre cette vermine ! protesta le guerrier.

Valak le foudroya du regard.

— Mettriez-vous mon autorité en doute ?

Son subordonné détourna vivement la tête.

— Non, commander. Bien sûr que non.

Picard avait suivi cet échange avec intérêt. Au combat, les Romuliens se montraient toujours impitoyables, mais Valak semblait différent.

Il avait étudié le comportement des Terriens, ainsi que leurs coutumes sociales et militaires. Il connaissait et respectait ses ennemis. Ce Romulien prônait une préparation soigneuse de chaque mouvement et ne tenait jamais rien pour acquis, ce qui en faisait un adversaire très dangereux.

— Pardonnez-moi, capitaine, souffla Worf en se relevant. J'ai failli à mon devoir.

— Pas du tout, monsieur Worf. Tout est ma faute, répondit Picard. J'ai été vaincu par plus fort que moi.

Valak inclina la tête.

— De votre part, c'est un grand compliment.

— Je ne faisais que constater les faits, répliqua froidement Picard. Vous vous êtes emparé de mon vaisseau, commander, ce qui constitue un acte de guerre.

— Bien au contraire, capitaine, riposta Valak, l'air réjoui. Vous aviez abordé mon vaisseau et vous tentiez de pirater nos banques de données. Je n'ai fait que me défendre.

— Ça n'a pas de sens ! protesta Picard. Le *Syrinx* se trouvait dans l'espace de la Fédération, et vous aviez pris soin de le camoufler en épave. Nous avons répondu à votre signal de détresse, voilà tout !

— Emis sur une fréquence romulienne, fit remarquer Valak.

— Arrêtons là ce petit jeu ! cria Picard. Nous savons tous deux ce qui s'est passé ici. Vous avez tendu un piège pour capturer un vaisseau de la Fédération, et vous y êtes parvenu. Que comptez-vous faire maintenant ?

— Vous allez droit au but, comme je m'y attendais, constata Valak. Très bien, capitaine, je vais vous révéler la suite de mes plans. Je contrôle toutes les fonctions vitales de l'*Entreprise*. Le vaisseau et l'équipage sont mes prisonniers.

« Je sais que vous allez tenter de vous évader. J'ai pris toutes les mesures nécessaires pour vous en empêcher. Si vous résistez, j'exécuterai des otages, en commençant par les enfants.

— Quand je pense que j'ai failli vous respecter, cracha Picard, dégoûté.

— Je ne réclame pas votre respect, mais votre obéissance, répondit Valak sans s'émouvoir. Personnellement, l'idée d'exécuter des enfants m'écœure, mais je ne vois aucune menace plus susceptible de vous toucher.

« Et si vous espérez enclencher la séquence d'autodestruction de votre vaisseau, sachez que mes ingénieurs sont en train de la désactiver. Vous n'avez pas d'autre choix que de vous soumettre.

Picard se mordit les lèvres. Cette ordure avait tout prévu. Mais aucun plan, aussi brillant soit-il, ne pouvait être parfait. Celui de Valak comportait obligatoirement une faille. La question était de savoir laquelle.

Les portes de l'ascenseur s'ouvrirent de nouveau. Trois Romuliens, dont un officier, pénétrèrent sur la passerelle.

— Commander, j'ai le regret de vous informer que neuf de nos guerriers ne se sont pas réveillés de leur sommeil cryptobiotique. Ils sont morts.

— Seulement neuf ? s'étonna Valak. Un chiffre très acceptable, considérant la nature expérimentale de cette drogue. Vous noterez dans votre rapport qu'elle a produit les résultats escomptés dans des limites raisonnables. ( Il grimaça. ) Même si je ne suis pas près de renouveler l'expérience.

Il se tourna vers Picard.

— Vous comprenez, capitaine, il était essentiel que vous soyez persuadé de notre mort. Nous ne pouvions recourir à un subterfuge : je savais que votre personnel médical examinerait nos « cadavres ».

« Il était donc nécessaire d'ingérer la drogue, puis de purger les systèmes de survie du *Syrinx* de façon à ce que nous suffoquions pendant que la substance prenait effet. J'avoue que c'était assez déplaisant.

— Vous avez pris le risque que la drogue n'agisse pas à temps pour vous sauver de l'asphyxie, fit remarquer Data.

— C'est exact.

— Vous auriez pu y perdre tout votre équipage.

— Encore exact. Nous aurions aussi pu reprendre connaissance trop tôt, avant que vos ingénieurs rétablissent la circulation d'oxygène. Mais j'ai fait confiance à votre célérité, et j'ai eu raison, se congratula Valak.

— Vous ne m'avez toujours pas dit ce que vous vouliez, lui rappela Picard.

— C'est vrai, pardonnez-moi. Tout d'abord, je souhaite obtenir certaines informations contenues dans votre ordinateur de bord.

— Vous allez être déçu, répondit sèchement Picard. Rien de ce que vous pouvez faire ne m'obligera à vous livrer ces informations.

— Pas même l'exécution des otages ? dit Valak. ( Il leva une main avant que son interlocuteur puisse répondre. ) Non, bien sûr que non. Pour les sauver, vous vous plieriez à mes demandes jusqu'à un certain point : tant que ça n'entrerait pas en conflit avec votre serment d'officier de la Fédération. Au-delà, vous seriez prêt à sacrifier le vaisseau et son équipage si nécessaire.

« Telle est la responsabilité d'un capitaine, et vous la porterez jusqu'au bout, quelles qu'en soient les conséquences. A votre place, tous les officiers ne réagiraient peut-être pas ainsi, mais vous êtes le célèbre Jean-Luc Picard. ( Valak sourit. ) Je vous connais mieux que vous pouvez l'imaginer. Je pourrais réciter par cœur vos états de service.

— Vraiment ? Qu'ai-je donc fait pour vous inspirer un tel intérêt ? s'enquit Picard, ironique.

— Disons que vous excellez dans votre domaine. Comprenez-moi : mes pairs me considèrent comme un excentrique, parce que je m'intéresse à la culture et au comportement humains. J'ai focalisé mes recherches sur Starfleet, et notamment sur l'élite de ses officiers. Il se trouve que votre nom figure en tête de liste.

— Vous dites ça pour me flatter, railla Picard.

— Pas du tout. Vous devriez être fier des exploits que vous avez accomplis. Votre vaisseau est le meilleur de Starfleet, et c'est une grande chance pour moi qu'il ait répondu à mon signal de détresse. Ça me donne l'occasion de vous rencontrer et de voir l'élite de la Fédération lutter contre celle de l'Empire Romulien. Je trouve l'idée stimulante.

— Vous avez déjà remporté la partie, répliqua amèrement Picard.

— Si vous me flattez dans l'espoir que ça me poussera à commettre une erreur, vous faites fausse route, dit Valak. Mon ego jouit d'une santé éclatante, mais il est tempéré de pragmatisme.

« Notre duel ne fait que commencer. Je contrôle le terrain, mais en ce moment même, vous élaborez des stratégies pour reprendre l'avantage. Je suis impatient de voir comment les événements tourneront.

— Je vois que vous avez bien étudié vos adversaires, le félicita Picard. Mais si vous savez que rien ne pourrait m'obliger à vous livrer des informations, vous savez également que toute tentative de craquer les codes informatiques de l'*Entreprise* provoquera l'effacement des données.

— Oh, je n'ai pas l'intention de me livrer au piratage, déclara Valak. C'est bien ainsi que vous dites, n'est-ce pas ? Non, grâce à un de nos agents secrets, que vous avez eu la bonté de nous rendre, rien de tout ça ne sera nécessaire.

Picard fronça les sourcils.

— Un de vos agents secrets ? répéta-t-il.

— Monsieur, intervint Data, je pense que le commander Valak fait allusion au sous-commander Selok, l'espion romulien qui s'était fait passer pour un ambassadeur Vulcain auprès de Starfleet.

« Souvenez-vous : nous avons découvert la supercherie suite à un faux accident de téléportation, mis en scène pour permettre à Selok de rejoindre un Oiseau de Proie stationné dans les parages.

— Oui, je m'en souviens, acquiesça Picard. Un geste inattendu de la part des services secrets romuliens.

— Inattendu mais très fructueux, grimaça Valak. Sous sa couverture, notre agent a pu obtenir certaines références codées relatives à Hermeticus II.

Picard vit que le commander romulien guettait sa réaction.

— Hermeticus II ? Ça ne me dit rien.

— Vraiment ? Nous ne tarderons pas à le savoir. Korak, escortez le capitaine Picard jusqu'à la salle de téléportation. Nous allons rendre une petite visite à l'*Entreprise*.

# CHAPITRE IV

Encadré par deux guerriers romuliens, le chef Miles O'Brien se tenait derrière la console de téléportation, le visage tendu. Il échangea un regard avec Picard alors que celui-ci se matérialisait sur la plate-forme en compagnie de son « escorte ».

— Capitaine, dit-il.

— O'Brien...

Ces simples mots étaient lourds de sous-entendus. Les Romuliens avaient pris possession de l'*Entreprise*. Il ne s'agissait plus d'une simple escarmouche le long de la Zone Neutre. Cette fois, leurs ennemis avaient franchi une ligne invisible mais bien réelle.

Picard se demandait ce qui les avait poussés à prendre un tel risque. S'agissait-il du prélude à une attaque de grande envergure ? Les Romuliens tentaient-ils de prendre l'avantage dès le départ, en s'emparant d'un vaisseau de la Fédération pour consulter ses banques de données ?

Pourtant, Valak avait dit qu'il n'aurait pas besoin de pirater l'ordinateur central. Qu'est-ce que ça signifiait ? Visait-il autre chose à bord de l'*Entreprise* ? Ou croyait-il détenir un moyen de neutraliser les programmes de protection ? Les pensées se bousculaient dans la tête de Picard alors que les Romuliens l'entraînaient vers la passerelle.

— Toujours en train de gamberger, capitaine ? lui demanda Valak tandis qu'ils pénétraient dans l'ascenseur.

— Vous m'empêchez peut-être de m'évader, mais vous ne pouvez m'interdire de réfléchir, répliqua Picard.

— Même si je le pouvais, je m'y refuserais, dit Valak. Ça gâcherait la suite de la partie.

— Vous considérez vraiment tout ça comme un jeu ? s'enquit Picard, incrédule.

— Certains jeux sont plus sérieux que d'autres, répondit simplement le Romulien. Ce sont justement ceux qui me stimulent le plus.

Picard poussa un grognement.

L'ascenseur s'immobilisa. Les portes s'ouvrirent et ils pénétrèrent sur la passerelle. Picard jeta un rapide coup d'œil autour de lui. Ses officiers étaient tous à leur poste, mais deux Romuliens encadraient chaque homme. La tension était presque palpable. Riker s'avança vers son capitaine.

— Je suis navré, monsieur.

— Moi aussi, numéro un, moi aussi. Du nouveau depuis tout à l'heure ?

— Non, monsieur. On m'a interdit de communiquer avec les autres sections du vaisseau.

Riker jeta un regard dur à Valak.

— Surveillez-les tous les deux, ordonna celui-ci à ses guerriers.

Il se dirigea vers la console informatique principale. Riker en profita pour se pencher vers son capitaine.

— Ils doivent avoir perdu la tête pour tenter un coup pareil, chuchota-t-il. Savez-vous ce qu'ils cherchent ?

— Des informations contenues dans notre système informatique, répondit tout bas Picard.

— Ils ne franchiront jamais les programmes de protection.

— Mais si, monsieur Riker. ( Valak désigna une de ses oreilles pointues. ) Au fait, j'ai une ouïe excellente. Inutile de chuchoter en ma présence. Si je voulais vous empêcher de communiquer, soyez certains que vous ne pourriez échanger un mot.

Il se tourna vers son premier officier et claqua des doigts. Korak sortit un objet de sa poche et le lui tendit. C'était une puce isolinéaire. Picard fronça les sourcils.

— Regardez bien, capitaine, lui enjoignit Valak en introduisant la puce dans l'ordinateur.

— Que... ? commença Riker, abasourdi.

D'un signe de tête, Picard le fit taire. Les deux hommes regardèrent le commander romulien taper sur le clavier.

— Il n'utilise pas les commandes vocales, observa Riker. S'il croit que ça lui suffira pour passer les protections...

Soudain, la voix synthétique de l'ordinateur annonça :

— Code d'accès validé. Priorité Un-A. Sujet : Hermeticus II.

— Grands dieux ! s'exclama Riker. Il a réussi !

— Planète de classe H, localisée dans le Quadrant Delta, Secteur Treize, coordonnées quatre-neuf-quatre-cinq...

— Ordinateur : annulation prioritaire ! s'écria soudain Picard. Picard, alpha alpha un zéro !

Un des guerriers romuliens l'assomma avec la crosse de son disrupteur, mais c'était trop tard. Tandis que le capitaine de l'*Entreprise* s'effondrait, l'écran de l'ordinateur s'éteignit. Valak enfonça des touches. En vain.

— Annulation prioritaire alpha alpha un zéro, déclara la voix synthétique. Autorisation confirmée. Commande exécutée.

Valak se tourna vers Riker, qui avait bondi en avant. Mais deux guerriers romuliens l'avaient aussitôt saisi et immobilisé.

— J'avais déconnecté les commandes vocales, dit le Romulien d'une voix dure. Que s'est-il passé ?

— Le code prioritaire alpha alpha un zéro annule toutes les autres instructions. L'ordinateur est programmé pour reconnaître la voix du capitaine en toutes circonstances, expliqua Riker, triomphant.

Valak se mordit les lèvres.

— Très bien. Je l'ignorais, admit-il. Il ne me reste plus qu'à trouver un autre moyen d'obtenir ce fichier.

— C'est impossible : il vient d'être effacé.

— Ah. Tant pis. Malheureusement pour vous, j'ai réussi à noter les coordonnées avant que l'écran s'éteigne. Je n'ai pas accédé à tout le fichier, mais j'ai quand même appris quelque chose. Je sais maintenant où se trouve Hermeticus II.

Riker baissa les yeux vers Picard, qui gisait toujours sur le sol.

— Le capitaine a besoin de soins, déclara-t-il. J'exige qu'on le conduise à l'infirmerie.

Valak fit un geste insouciant.

— Vous n'êtes pas en position d'exiger quoi que ce soit, monsieur Riker, dit-il en fixant l'écran éteint.

— Dans ce cas, je sollicite la permission d'accompagner le capitaine à l'infirmerie, dit Riker, les dents serrées.

Valak leva les yeux vers lui et sourit.

— Très bien. Comment dire non à une requête si poliment formulée ? ( Il fit signe à quatre de ses guerriers. ) Accompagnez-les. Et soyez vigilants, au cas où ils tenteraient quelque exploit.

« Monsieur Riker, je vous conseille la plus grande docilité. ( Il balaya la passerelle du regard, s'arrêtant une seconde de plus que nécessaire sur Deanna Troi. ) Je n'ai pas besoin de vous faire un dessin, n'est-ce pas ?

— J'ai bien reçu le message, acquiesça Riker avec raideur.

— Allons, emmenez-le. J'espère que sa blessure n'est pas trop sérieuse : j'ai encore besoin de lui.

Riker se baissa, souleva Picard et le porta jusqu'à l'ascenseur, les gardes romuliens sur les talons.

— Infirmerie, ordonna-t-il.

Picard poussa un gémissement. Quelques minutes plus tard, ils arrivèrent devant la porte de l'infirmerie. Le docteur Crusher écarquilla les yeux en découvrant son patient.

— Posez-le sur la table, dit-elle. Que s'est-il passé ?

Riker lui fit un bref résumé des derniers événements. Les Romuliens se disposèrent de part et d'autre de la porte, l'arme à la main.

— Et vous, comment allez-vous ? demanda Riker tandis que Beverly se penchait sur Picard.

— Bien. Mais ils me gardent prisonnière ici. Je ne peux pas sortir.

— Je sais. J'ai vu les deux centurions en arrivant.

— Il s'en remettra, déclara la jeune femme après avoir examiné Picard. Il est juste inconscient. Il n'a pas de fracture, peut-être un légère traumatisme.

Picard poussa un grognement et ouvrit les yeux.

— Est-ce que... ça a marché ? demanda-t-il aussitôt.

— Ça a marché, confirma Riker. Le fichier s'est effacé, mais Valak a eu le temps de noter les coordonnées de la planète. ( Il fronça les sourcils. ) Hermeticus II. Je n'en ai jamais entendu parler. Je ne sais même pas ce qu'est un monde de classe H.

Picard s'assit péniblement et cligna des paupières. Surveillant les Romuliens du coin de l'œil, il baissa la voix et dit :

— Un monde en quarantaine, selon une classification tombée en désuétude depuis une vingtaine d'années.

— Pourquoi donc ? s'étonna Riker.

— Parce que la plupart des anciens motifs de quarantaine n'ont plus de raison d'être.

— Alors, comment se fait-il que nos fichiers l'utilisent encore ?

Picard serra les dents quand Beverly vaporisa un antiseptique sur sa plaie.

— Sans doute parce que la quarantaine court toujours.

— Les fichiers Priorité Un-A sont réservés au seul capitaine du vaisseau, fit remarquer Riker. Comment Valak y a-t-il accédé ?

— La puce qu'il a introduite dans l'ordinateur contenait probablement des instructions codées. Je ne vois qu'un seul endroit où il a pu se les procurer.

— Les quartiers généraux de Starfleet ? avança Riker, incrédule.

Picard hocha la tête.

— Ils en gardent en réserve pour permettre aux ingénieurs d'effectuer des réparations. Les puces servent à tester et déboguer les commandes prioritaires à l'intérieur des logiciels. Mais on les stocke dans des coffres-forts, sous bonne garde.

— Alors, comment Valak a-t-il pu s'en procurer une ? s'étonna Riker.

— Bonne question, numéro un. Vous vous souvenez de cet espion que les Romuliens avaient introduit chez nous en le faisant passer pour un ambassadeur Vulcain ?

Riker fronça les sourcils.

— Oui. Mais même un ambassadeur Vulcain n'aurait pas eu accès à ce genre de matériel.

— Dans l'espoir d'impressionner un haut dignitaire étranger, un imbécile de bureaucrate lui a peut-être fait une démonstration des procédures de sécurité en vigueur, grimaça Picard. Quoi qu'il en soit, cette puce ne servira plus à rien maintenant.

— Valak possède quand même les coordonnées de la planète, lui rappela Riker. Qu'est-ce qui peut l'intéresser sur Hermeticus II ?

— Je n'en ai pas la moindre idée, soupira Picard. Sa désignation indique que cette planète fut la seconde à être placée en quarantaine par la Fédération. Autrement dit, aucun de nos vaisseaux n'a dû s'y rendre depuis plus de trente ans.

— Bref, vous ignorez tout d'Hermeticus II, résuma Beverly.

— Exact, acquiesça Picard. Sans l'intervention de Valak, il aurait fallu que nous passions dans son système et que je sollicite l'information pour apprendre son existence. La probabilité que ça arrive était très mince, puisque d'après ses coordonnées, Hermeticus II se trouve au milieu de la Zone Neutre.

— Génial, grimaça Riker. Et maintenant que le fichier a été effacé, il ne reste pas la moindre information disponible : ni pour les Romuliens, ni pour nous. La seule question, c'est pourquoi Valak en avait-il besoin ?

— Je n'en sais pas plus que vous, répondit Picard.

— Passerelle à infirmerie, appela l'enseigne Ro.

Riker activa son communicateur.

— Ici Riker.

— Je venais juste aux nouvelles, dit la voix de Valak. Je suppose que le capitaine Picard n'a rien de grave ?

Riker jeta un coup d'œil aux gardes romuliens. Inutile de mentir alors qu'ils pouvaient constater d'eux-mêmes l'état de santé de leur prisonnier.

— Il va bien, mais pas grâce à vous.

— Dans ce cas, voudriez-vous me rejoindre tous les deux sur la passerelle ? Nous allons bientôt nous mettre en route.

Picard activa son communicateur.

— Ici Picard. Nous mettre en route vers où ? demanda-t-il. Pour quoi faire ?

— Appelez ça une mission en tandem, répondit Valak. J'aurais préféré obtenir votre coopération spontanée, mais je pense que l'expédition sera fructueuse quand même.

— Où comptez-vous emmener mon vaisseau ? s'enquit Picard, sévère.

— Ça me semble évident : sur Hermeticus II.

— Au milieu de la Zone Neutre ?

— Plutôt à sa frontière, dans un secteur qui, selon nos cartes, ne contient aucune planète habitable. Je me demande pourquoi la Fédération s'intéressait à un monde désert situé si près de l'espace romulien.

— Starfleet ne s'est pas rendu là-bas depuis plus de trente ans, protesta Picard. Hermeticus II est en quarantaine.

— Ça, c'est ce que vous dites. Je préfère m'en assurer moi-même. Terminé.

Valak coupa la communication. Les épaules de Picard s'affaissèrent.

— Encore une attaque de paranoïa romulienne, soupira-t-il. Leur agent a par hasard découvert des allusions à une planète interdite située dans la Zone Neutre, et ils sont convaincus que nous cachons quelque chose là-bas.

— Et si c'était le cas ? avança Riker.

Picard fronça les sourcils.

— Cette remarque m'étonne de votre part, numéro un.

— Reconnaissez que les services secrets de Starfleet comptent quelques officiers franchement enclins à magouiller.

— Tout de même... Pourquoi utiliser une classification tombée en désuétude depuis vingt ans ?

— Justement. Ce serait un bon moyen de cacher quelque chose, s'enflamma Riker.

Picard secoua la tête.

— Peut-être, mais je n'y crois pas.

— Moi non plus, intervint le docteur Crusher. Sans parler du danger qu'il y aurait à établir une base secrète dans la Zone Neutre, les allées et venues des vaisseaux ravitailleurs trahiraient rapidement sa présence.

— C'est vrai, admit Riker. Mais allez le faire comprendre à Valak.

— Je n'en espère pas tant, répondit Picard. Si les Romuliens pensaient avoir une chance de réussir, c'est précisément le genre de choses qu'ils tenteraient. Ils nous attribuent, à tort, les mêmes motivations. Je crains que la logique ne suffise pas à les convaincre. Mais ça ne coûte rien d'essayer.

— La question est : que se passera-t-il quand ils se rendront compte qu'Hermeticus II n'abrite pas de base ? demanda Beverly.

— A mon avis, c'est plutôt : que trouverons-nous là-bas ? corrigea Picard. La Fédération n'envisage la quarantaine qu'en tout dernier ressort. Nous devons absolument reprendre le contrôle du vaisseau avant notre arrivée.

Les trois compagnons parlaient de plus en plus bas ; les gardes romuliens finirent par s'en inquiéter.

— Assez ! dit l'un d'eux en gesticulant avec son disrupteur. Le commander vous a ordonnés de monter sur la passerelle.

Picard se massa les tempes et grimaça.

— Ça fait déjà deux fois aujourd'hui que je prends un coup sur la tête, grogna-t-il. Je retournerai personnellement la faveur au commander Valak.

Accompagné par Riker, il sortit de l'infirmerie et se dirigea vers l'ascenseur. En chemin, ils croisèrent un groupe de guerriers romuliens qui poussaient plusieurs membres de l'équipage dans la direction opposée.

— Où les emmenez-vous ? s'enquit Picard.

— Avancez ! aboya un des gardes en lui flanquant une bourrade.

— Recommencez et je vous fais bouffer votre disrupteur, gronda Riker.

Le Romulien accueillit la menace par un ricanement.

— Avancez, répéta-t-il.

— On dirait qu'ils vont vers le hangar des navettes, fit remarquer Riker.

Picard pinça les lèvres.

— Valak transfère les otages à bord du *Syrinx*, et il nous prive de nos navettes par le même coup, marmonna-t-il.

— Qu'allons-nous faire ?

— Pour l'instant, numéro un, je crains que nous n'y puissions rien. Valak nous retire toutes nos options.

Ils montèrent dans la cabine, qui les amena sur la passerelle.

— Ah, capitaine Picard. J'espère que vous allez mieux, dit Valak en le voyant approcher.

— Epargnez-moi votre politesse, répliqua sèchement Picard. Où emmenez-vous mes subordonnés ?

— Une partie d'entre eux seront conduits à bord du *Syrinx*, où on les traitera bien tant qu'ils se montreront dociles. Vous avez ma parole.

— Votre parole ? cracha Riker, méprisant. Alors que même les Romuliens morts ne sont pas ce dont ils ont l'air ?

Valak sourit.

— Très pertinent, monsieur Riker. On ne peut même pas faire confiance à un Romulien mort. Je m'en souviendrai.

— Quelles garanties me donnez-vous ? s'enquit Picard.

— Vous n'êtes pas en position de réclamer des garanties, répondit Valak. Toutefois, je comprends que vous vous inquiétiez pour vos hommes. Vous partirez donc avec eux, laissant l'*Entreprise* entre les mains capables de monsieur Riker... Sous une supervision romulienne, bien sûr.

— L'*Entreprise* est toujours mon vaisseau, commença Picard, et j'exige...

— Exigez tout ce que vous voulez, coupa Valak. Vous ferez quand même ce qu'on vous dira. Je peux vous transférer à bord du *Syrinx* conscient... ou pas. Que préférez-vous ?

« J'ai déjà ordonné à votre pilote de mettre le cap sur Hermeticus II, et j'ai averti le reste du personnel que mes guerriers sont prêts à tout. Pour chaque ordre non exécuté, c'est un des otages qui le sera. Je vous suggère donc d'enjoindre à vos subordonnés la plus grand obéissance.

Picard enrageait.

— Faites ce qu'il vous dit, numéro un.

— Compris, monsieur.

— Nous ne tarderons pas à partir, dit Valak. Pour votre information, capitaine, un peu plus de la moitié de votre personnel se trouve déjà à bord du *Syrinx*, en compagnie des otages pris sur les ponts d'habitation. J'ai autorisé le docteur Crusher à les rejoindre avec une trousse de premier secours.

« Votre système de communications a été modifié de façon à ne permettre que les liaisons avec le *Syrinx*. N'espérez donc pas envoyer de message de détresse à Starfleet. Comme vous pouvez le voir, j'ai pensé à tout.

— Apparemment, admit Picard à contrecœur.

— Très bien. Je sens que nous nous comprenons, se réjouit Valak.

— Oh, je ne vous comprends que trop bien, rétorqua Picard. Vous m'avez donné votre parole qu'aucun mal ne serait fait à mon équipage. Peut-être accepterez-vous la mienne si je vous dis que ni Hermeticus II ni la Zone Neutre n'abritent de base de la Fédération. Je le jure sur mon honneur d'officier.

— Je vous crois, capitaine, dit gravement Valak.

Picard fronça les sourcils.

— Alors pourquoi... ?

— Je crois que *vous croyez* qu'il n'y a pas de base secrète sur Hermeticus II, corrigea le Romulien. Mais j'ai des ordres. Je dois découvrir pourquoi la Fédération se donne tant de mal pour dissimuler les informations qu'elle possède sur cette planète.

« C'est une question de sécurité, capitaine. En tant qu'officier, vous devriez le comprendre. Nous ne pouvons pas nous permettre de ne pas savoir.

— Valak, écoutez-moi, le pressa Picard. La classe H désigne un monde en quarantaine. J'ignore pourquoi Hermeticus II en fait partie, mais ça ne peut signifier qu'une chose : nous courrons là-bas un grave danger, soit à cause de l'environnement, soit à cause des formes de vie indigènes.

« Sans parler de l'*Entreprise*, si vous avez la moindre considération pour vos hommes, je vous invite dans les termes les plus pressants à...

— Economisez votre salive, capitaine, lui enjoignit Valak. J'ai reçu des ordres très explicites. Mettez-vous à ma place, et vous verrez que je n'ai pas d'autre choix qu'accomplir la mission qui m'a été assignée. Mes guerriers vont vous escorter jusqu'en salle de téléportation. Je vous y rejoindrai dans quelques minutes.

Une fois à bord du *Syrinx*, Picard reçut la permission de voir les otages. Ceux-ci étaient rassemblés dans un des hangars à navettes de l'Oiseau de Proie, où les Romuliens pouvaient facilement les surveiller. Pendant que son escorte gardait les portes, Picard se dirigea vers les membres de son équipage et leur communiqua rapidement ce qu'il savait.

— Que se passera-t-il une fois que nous aurons atteint Hermeticus II ? s'enquit Deanna Troi.

— Je l'ignore, Conseiller. Effacer le fichier pour en interdire l'accès aux Romuliens nous a également privés d'une précieuse source d'informations. Nous n'avons aucun moyen de savoir ce qui nous attend.

— Capitaine, intervint Worf, j'ai pensé à un plan. Avec certains de mes hommes, nous pourrions faire une diversion et neutraliser les gardes...

— Négatif, monsieur Worf, coupa Picard. Je vous interdis de courir ce risque. Même si vous réussissiez à surprendre les gardes, il faudrait une seconde à Valak pour ouvrir les portes extérieures et annuler le champ de force. Vous seriez tous tués.

« Valak m'a laissé venir ici pour que je me rende compte par moi-même de l'efficacité des mesures qu'il a prises. Il a vraiment pensé à tout.

— Nous devons faire quelque chose, monsieur, protesta Worf.

— Certes. Mais le moment n'est pas encore venu. Mieux vaut attendre une occasion.

— Capitaine, dit Deanna, je sens chez le commander Valak un fort désir de rivaliser avec vous et de vous impressionner. Il souhaite gagner votre respect. Il considère la situation comme un défi, presque comme une compétition sportive.

Picard hocha la tête.

— C'est ce que j'avais cru remarquer. Il est intelligent et rusé, mais son ego constitue sa plus grande faiblesse. Il n'aurait jamais dû m'autoriser à monter sur la passerelle pendant qu'il tentait de forcer l'accès à notre système informatique, seulement, il voulait m'épater.

« Par ailleurs, il ne cesse d'employer des expressions typiquement humaines, comme pour étaler sa connaissance de notre culture. Il veut prouver qu'il a bien fait ses devoirs et qu'il est prêt à écraser toutes nos tentatives de rébellion.

— Peut-être pouvons-nous utiliser cela contre lui, avança Deanna.

— Peut-être, acquiesça Picard. Il est jeune et avide de démontrer sa valeur, mais son arrogance est tempérée par le doute. Il n'est pas sûr de ses capacités.

— Alors, que faisons-nous ? s'enquit Worf.

— Rien pour le moment. Ouvrez les yeux et les oreilles, voyez ce que vous pouvez apprendre. Nous ignorons presque tout de ce nouveau type d'Oiseau de Proie. Il existe peut-être un défaut de conception exploitable... ( Picard serra les poings. ) Valak a bien calculé son coup, mais nous n'avons pas dit notre dernier mot.

— Il est si frustrant de ne pouvoir rien faire, grogna Worf.

— Nous ne sommes pas totalement impuissants, lui rappela Picard. Il faut faire preuve de patience. Une occasion finira bien par se présenter...

— Vous oubliez une chose, intervint le docteur Crusher. Les actes de Valak constituent une violation flagrante du traité de paix entre la Fédération et l'Empire

Romulien. Il ne peut pas laisser Starfleet découvrir ce qu'il a fait.

— Autrement dit, il est obligé de nous tuer, grimaça Deanna.

— Nous ne sommes pas encore morts, Conseiller, dit remarquer Picard.

— Le vaisseau se met en route, annonça Worf tandis que le bourdonnement des moteurs faisait vibrer les murs du hangar.

— Gardez espoir, recommanda Picard à ses subordonnés. Valak est intelligent, mais pas infaillible. D'une façon ou d'une autre, nous sortirons de ce pétrin, je vous le promets.

Il rejoignit le commander romulien sur la passerelle.

— Alors, les membres de votre équipage sont-ils traités convenablement ? lui demanda Valak.

— Si vous considérez que parquer des gens dans un hangar comme du bétail dans un corral est les traiter convenablement..., cracha Picard.

— Une regrettable nécessité, admit Valak. Nous n'avons pas de cellules à bord, car nous ne faisons jamais de prisonniers, et nos mesures disciplinaires sont généralement plus draconiennes qu'une simple incarcération.

« Mais je peux vous offrir mieux que ça. Vous occuperez les quartiers de mon premier officier tant qu'il demeurera à bord de l'*Entreprise*. Vous les trouverez sans doute stricts, bien que raisonnablement confortables.

— Je préférerais rester avec mes hommes.

— Je m'en doute, mais je ne peux vous y autoriser. Ce serait très imprudent de ma part. Votre équipage sera plus facile à dompter privé de votre commandement.

— On dirait que vous avez pensé à tout, dit Picard pour flatter l'ego de son interlocuteur.

— J'ai tenté d'anticiper toutes vos réactions, acquiesça Valak avec une pointe de fierté.

— Mais vous ne pouvez pas prévoir ce qui se passera une fois que nous aurons atteint Hermeticus II.

— C'est vrai. Sauf si nous y trouvons bien une base de la Fédération.

— Et dans le cas contraire ?

— J'aviserai.

— Vous utilisez de nombreuses expressions humaines, fit remarquer Picard. C'est très étonnant chez un Romulien.

— Très peu de mes collègues se sont intéressés à votre culture autant que moi, convint Valak. Ils ne jugent pas le sujet digne d'attention.

— Mais vous, si. Je me demande pourquoi.

— D'abord, parce qu'il faut connaître son ennemi. Ensuite, parce que la Fédération appartiendra un jour à l'Empire Romulien, et que ceux qui comprendront les humains auront moins de mal à les gouverner.

Picard haussa les sourcils.

— Ainsi, vous avez des ambitions politiques, et pas des moindres.

— C'est exact, capitaine, admit Valak. Et vous allez m'aider à les réaliser.

— Je suppose que la réussite de votre mission sera un beau trophée à ajouter à votre Palmarès Romulien...

— Oui. Sans compter que votre équipage et vous constituerez un atout précieux quand nous rentrerons sur Romulus.

— Que voulez-vous dire ? s'étonna Picard.

— Vous semblez surpris. Pensez-vous que j'allais vous tuer à la fin de cette mission ?

— Pourquoi aurais-je cru le contraire ?

— Je ne suis pas responsable de ce que vous choisissez de croire, capitaine. Vous éliminer empêcherait certainement la Fédération d'apprendre ce qui s'est passé, mais ce serait aussi une inestimable perte de ressources. Je n'exécuterai pas un seul membre de votre équipage, à moins d'y être obligé.

« J'ai l'intention de vous ramener chez moi.

Ainsi, l'armée romulienne pourra vous interroger. Les érudits étudieront grâce à vous le comportement humain. Vous serez mes trophées de guerre, et vous me vaudrez au moins un poste de préfet au Conseil.

— Je vois, dit Picard en dévisageant Valak avec un respect qu'il était loin de ressentir. Vous voulez vous servir de nous pour votre avancement politique. Et pour le reste de nos vies, nous serons esclaves de l'Empire Romulien.

— Tout dépendra de vous, corrigea Valak. Ceux qui choisiront de coopérer pourront bénéficier d'un traitement de faveur. Rendez-moi service et je vous renverrai l'ascenseur, comme vous dites.

— Si vous croyez mes hommes capables de trahir la Fédération pour leur confort, vous en savez moins sur nous que vous l'imaginez, répliqua Picard.

— Nous verrons. Vous n'avez jamais expérimenté les méthodes de torture romulienne. Laissez-moi vous dire que même un humain de votre trempe aura du mal à y résister. Pourquoi vous imposer des souffrances à peine imaginables quand le résultat sera le même de toute façon ?

— Je vois que je vous ai sous-estimé, dit froidement Picard.

— Si ça peut vous consoler, vous n'êtes pas le premier.

— C'est votre barbarie et non votre intelligence que j'avais sous-estimée, cracha Picard. Maintenant, à moins que vous ayez besoin de moi, j'aimerais me retirer.

— Très bien, capitaine. ( Valak se tourna vers ses guerriers. ) Accompagnez le capitaine Picard dans les quartiers du premier officier Korak. Et tenez-le à l'œil.

*
* *

75

Sur la passerelle de l'*Entreprise*, Riker s'efforçait de maîtriser son anxiété. A l'intérieur, il écumait de rage. Le capitaine, Deanna, Worf, Beverly et une bonne moitié de l'équipage étaient retenus à bord du *Syrinx*. Les Romuliens occupaient toutes les positions-clés, et il ne pouvait rien y faire.

Dès qu'il était passé en distorsion, le *Syrinx* avait levé ses boucliers d'invisibilité pour ne pas être détecté par un autre vaisseau de la Fédération passant dans les parages.

Les guerriers de Valak surveillaient tous les mouvements de Will. La tension montait de minute en minute sur la passerelle de l'*Entreprise*. Valak connaissait bien les vaisseaux de Starfleet et les procédures en vigueur, mais ce n'était pas le cas de ses hommes.

Ceux-ci se méfiaient de tout et de tous. Avant de donner le plus petit ordre ou d'effectuer la moindre manœuvre, Riker devait demander l'autorisation au premier officier romulien.

Un appel en provenance de la salle des machines annonça que Geordi La Forge perdait lui aussi patience.

— Commander, je ne peux pas faire mon boulot avec la moitié de mes hommes — et un Romulien constamment en train de regarder par-dessus mon épaule ! s'écria l'ingénieur en chef, exaspéré.

— Je sais Geordi, je sais, dit Riker d'une voix apaisante. C'est pareil sur la passerelle. Faites de votre mieux. Terminé.

— Les humains geignent-ils toujours ainsi ? demanda Korak, méprisant.

— Seulement quand leur vaisseau est envahi par les Romuliens, grommela Riker.

— Mes subordonnés ne se plaignent jamais. Ils se contentent de faire leur devoir. Les humains sont faibles, cracha Korak.

— Nous sommes assez forts pour que vous n'ayez pas pu nous briser comme les dizaines d'autres races qui sont tombées sous votre coupe.

— Le temps viendra où la Fédération n'opposera pas plus de résistance que vous lorsque nous nous sommes emparés de l'*Entreprise*.

— Nous avons choisi de ne pas résister, corrigea Riker, pour ne pas mettre de vies en danger inutilement. Contrairement à vous, les officiers de la Fédération se soucient avant tout du bien-être de leurs subordonnés.

— Vous jouez sur les mots, répliqua Korak. Vous ne pouviez rien faire. Aucun humain ne saurait battre un Romulien au combat.

Riker lui jeta un regard dur.

— On parie ?

— Que voulez-vous dire ? demanda le Romulien, les sourcils froncés.

— Etes-vous prêt à prouver ce que vous avancez ?

Data, Ro et tous les guerriers présents sur la passerelle tendirent l'oreille.

— Vous ne songez quand même pas à me défier en combat singulier ? s'étonna Korak.

— Pourquoi pas ? Vous affirmez qu'un humain ne peut battre un Romulien. Je dis que vous vous trompez. Auriez-vous peur que je vous fasse mordre la poussière ? railla Riker.

Un instant, Korak fit mine de se jeter sur lui ; il se retint au prix d'un effort visible.

— Je vois bien que vous me provoquez, mais je ne me laisserai pas distraire de mon devoir, gronda-t-il.

Le Romulien avait failli perdre son contrôle. *Profites-en,* se dit Riker. *Exploite sa faiblesse.*

— Vous laisser distraire de quoi ? demanda-t-il d'un air moqueur. Notre trajectoire est déjà programmée. Personne n'aura besoin de vous jusqu'à ce que nous sortions de distorsion. Nous avons tout le temps de descendre sur l'holodeck et de vérifier si vous vous vantez ou non.

Korak le dévisagea longuement.

— Si c'est une ruse, humain, elle ne marchera jamais. Mes guerriers surveilleront votre équipage en notre absence.

Data toussa poliment.

— Monsieur, dit-il à Riker, avec tout le respect que je vous dois, permettez-moi de souligner que le Romulien moyen est physiquement plus fort qu'un humain de taille et de poids égaux, grâce à sa densité musculaire supérieure et à sa...

— Assez, monsieur Data ! le coupa Riker.

— Votre androïde a raison, renchérit Korak. Je pourrais vous écraser comme un cafard !

— Il est facile de parler.

— Très bien, humain. Je relève votre défi. Vous regretterez bientôt de l'avoir lancé.

— Après vous, dit Riker en désignant les portes de l'ascenseur.

Le premier officier romulien se tourna vers ses subordonnés.

— Surveillez-les. Si l'un d'eux tente quoi que ce soit, abattez-le sans sommation. ( Il jeta un regard méprisant à Riker. ) Je n'en aurai pas pour longtemps.

— J'espère que le commander sait ce qu'il fait, dit Data en regardant les deux hommes disparaître dans la cabine. Ses chances de vaincre Korak en combat singulier sont de...

— Je ne veux pas le savoir, coupa Ro sans quitter sa console des yeux. Pour nous tirer de ce pétrin, il va falloir faire mentir les statistiques. Les connaître ne nous aidera pas.

— Peut-être pas, admit Data, mais si le commander Riker se fait tuer ou s'il est gravement blessé, ça ne nous aidera pas non plus.

— Riker sait ce qu'il fait, répliqua Ro d'une voix bourrue. ( Puis, plus bas : ) Du moins, je l'espère.

Riker et Korak se dirigèrent vers l'holodeck. Il ne restait plus dans les couloirs de l'*Entreprise* que le personnel strictement nécessaire à son fonctionnement. Le reste de l'équipage était enfermé dans la prison du vaisseau ou avait été emmené sur le *Syrinx*. Un calme inhabituel régnait partout.

*Visiblement, ils ont l'intention de nous garder en vie,* songea Riker. *Pourquoi ?* Valak avait tout calculé. Picard aurait fait exploser son vaisseau plutôt que de le voir tomber entre les mains des Romuliens, Mais le commander ennemi avait pris les mesures nécessaires pour l'en empêcher.

Jamais Valak n'avait formellement réclamé leur reddition, ce que Picard aurait refusé. Au contraire, il avait dit qu'il s'attendait à les voir résister, comme pour les pousser à le faire. On eût dit qu'il les mettait au défi de trouver un point faible dans son plan soigneusement élaboré.

Le seul point faible des Romuliens ne résidait pas dans leur plan, mais dans leur arrogance, comprit Riker. Ils se croyaient supérieurs aux autres races, et notamment aux humains. Korak n'avait pu résister au défi d'un être qu'il considérait comme inférieur. Il avait hâte de remettre l'impudent à sa place.

Malheureusement, les probabilités jouaient en sa faveur. Riker savait, sans que Data ait besoin de lui rappeler, que les Romuliens étaient plus forts et plus résistants. Ce qu'il voulait découvrir, c'était jusqu'où il pouvait pousser Korak.

Riker était presque certain d'avoir *un* avantage : les Romuliens voulaient les garder en vie. S'ils ne s'intéressaient qu'à l'*Entreprise*, ils auraient pu tuer l'équipage des heures auparavant, puis faire remorquer le vaisseau par le *Syrinx* jusqu'à Hermeticus II.

C'était sans doute pour ça que le capitaine Picard n'avait pas encore agi. Il ne se résignait jamais aux solutions extrêmes avant d'avoir épuisé les autres. La sécurité de ses hommes lui importait par-dessus tout ; si les Romuliens ne la menaçaient pas, il pouvait se permettre d'attendre.

Valak les avait piégés, mais comme disait un dicton terrien qu'il devait connaître : « Tant qu'il y a de la vie, il y a de l'espoir ». Malgré tout, ils gardaient une chance de s'en sortir.

En situation de crise, le capitaine Picard réclamait toujours que ses officiers lui proposent différentes solutions. C'était précisément ce que Riker essayait de faire : trouver des solutions.

Explorer les faiblesses de Korak n'était que le commencement. Il voulait pousser le Romulien à bout pour voir quel genre d'erreurs celui-ci commettrait. A condition, bien sûr, que lui-même survive à leur duel. Rien de moins sûr, mais qui ne risque rien n'a rien.

Les deux hommes atteignirent les portes de l'holodeck. Riker s'immobilisa devant la console de contrôle. Il y avait quatre salles principales au niveau 11, et une kyrielle de plus petites aux niveaux 12 et 33. Riker choisit celle qu'il fréquentait d'ordinaire.

— Avez-vous déjà utilisé un holodeck ? demanda-t-il à Korak.

— Nos Oiseaux-de-Guerre ne sont pas si luxueux, cracha le Romulien, méprisant. A nos yeux, ce genre de gadget décadent est un gaspillage d'espace et de ressources.

— Peut-être parce que vous ne possédez pas une technologie suffisante pour le rendre utile. Un holodeck ne sert pas qu'au divertissement. Il permet aussi de s'entraîner dans une grande variété de conditions.

« Le système de simulation peut créer l'illusion réaliste de n'importe quel environnement, pendant que le système de conversion matérielle fait apparaître des accessoires tangibles. Un holodeck ne peut fabriquer des êtres vivants, mais il propose des simulacres manipulés par rayon tracteur, un peu comme des marionnettes très sophistiquées. Ce que vous allez voir n'est pas vrai, mais ça en aura l'air.

Korak saisit la main de Riker avant qu'il puisse appuyer sur un bouton.

— Pas si vite, gronda-t-il.

Riker lui jeta un regard intrigué. Le Romulien activa son communicateur.

— Korak à salle des machines.

— Ici La Forge, grogna Geordi. Quoi encore ?

— Je veux parler à Atalan.

— Vos désirs sont des ordres, railla l'ingénieur.

Korak ordonna à l'ancien pilote d'activer l'holodeck numéro un, mais de se tenir prêt à l'éteindre immédiatement si Riker tentait la moindre entourloupette.

— Bien, dit Korak quand il en eut terminé. Vous avez lancé le défi. Nos coutumes veulent donc que j'aie le choix des armes.

Riker se tendit.

— C'est la même chose sur Terre.

Korak sourit.

— Vous programmerez l'environnement selon mes instructions. Attention, je vous surveille. Un seul faux pas, et vous regretterez d'être né.

— Si vous le dites...

— Je ne choisirai pas d'armes romuliennes : vous n'êtes pas familiarisé avec elles, et vous pourriez clamer ensuite que le combat était inégal. Pour la même raison, je ne me battrai pas avec des armes humaines. Nous allons régler ça à mains nues.

— Pas de problème. J'ai là un programme qui vous conviendra parfaitement.

Riker tendit la main vers la console. Une fois de plus, Korak lui saisit le poignet.

— Quel genre de programme ? demanda-t-il, méfiant.

— La confiance règne, grimaça Riker. Je l'utilise d'habitude pour m'entraîner. Il ne crée pas de projections animées, mais reconstitue le décor d'un dojo.

— Un dojo ? répéta Korak.

— Une salle où les humains pratiquent les arts martiaux, expliqua Riker. Ça me semble très approprié.

— D'accord. Allez-y.

Riker appela le programme holographique. Les portes de la salle s'ouvrirent ; les deux hommes pénétrèrent dans le dojo illusoire.

Korak regarda autour de lui. Sur les murs, la bannière de la Fédération voisinait avec les drapeaux traditionnels des Etats-Unis, de la Corée, de la Chine et du Japon.

Des sacs de sable étaient suspendus au plafond par des chaînes ; des boucliers *makiwara* gisaient en tas dans un coin, et diverses armes produites par le système de conversion matérielle ornaient les panneaux lambrissés : bâtons *bo*, *nunchaku*, *saï* de parade, *kama* d'acier et de bois, *shuriken* en forme d'étoile.

Riker songea que toutes ces armes pourraient tenter le Romulien, ou constituer à ses yeux une violation des règles de combat à mains nues sur lesquelles ils s'étaient mis d'accord.

— Ordinateur, faites disparaître les armes, ordonna-t-il.

Instinctivement, Korak porta la main à son disrupteur, puis il se détendit tandis que les armes s'évaporaient.

— Ne modifiez plus le programme avant de m'en avoir demandé la permission, dit-il cependant.

Riker afficha un air contrit.

— Toutes mes excuses. J'utilise souvent ces armes pour m'entraîner, mais je ne voulais pas que vous pensiez que j'essayais de tricher.

Korak hocha la tête.

— Voulez-vous passer une tenue plus confortable ? lui proposa Riker.

— Non. Nous nous battrons comme nous sommes.

— A votre guise. Allez-vous garder votre disrupteur ?

Le Romulien grimaça.

— Oui, au cas où vous tenteriez de m'échapper.

— Je ne vois pas où je pourrais aller, fit remarquer Riker. Et je ne comprends pas pourquoi un être supérieur a besoin d'un disrupteur pour se rassurer face à un humain désarmé.

— Je n'ai pas besoin de me rassurer, protesta Korak.

Il posa son arme et pénétra sur l'holodeck, tandis que Riker réprimait un sourire. Ainsi, il avait deviné juste. La fierté du Romulien était bien son point faible, et on pouvait s'en servir pour lui faire commettre des erreurs.

Riker nota l'incident dans un coin de son esprit et emboîta le pas à Korak. Les deux hommes se firent face.

— Quand vous voulez.

Riker adopta une posture de combat : le dos droit, le poids du corps sur la pointe des pieds, les genoux fléchis, les bras ballants, légèrement de profil pour présenter le flanc à son adversaire.

Korak grogna et chargea. Riker fit un pas sur le côté. Utilisant un mouvement d'aïkido, il saisit le poignet du Romulien, lui fit une clé, l'obligea à pivoter et utilisa son élan pour le projeter sur le sol.

Korak se laissa tomber, roula sur lui-même et se releva, un rictus sur les lèvres. Il ne semblait pas avoir souffert de l'attaque, qui aurait pourtant brisé le poignet d'un humain. Riker ne le quitta pas du regard.

— C'est tout ce que vous savez faire ? railla-t-il.

Le Romulien poussa un cri de rage et se jeta sur lui avec l'intention de le ceinturer. Il voulait le jeter à terre, où sa masse plus importante lui donnerait l'avantage. Comme il l'avait appris durant ses cours de judo, Riker se laissa tomber en arrière, lui posa un pied sur l'estomac, saisit le devant de sa tunique et le projeta par-dessus sa tête.

Korak fit une roulade et se releva à nouveau, les yeux plissés. Conscient que les gardes les surveillaient depuis la salle des machines, Riker continua à provoquer son adversaire.

— Ça fait deux fois que je vous mets à terre. Qu'est-il advenu de la supériorité romulienne que vous vantiez tant ?

Korak poussa un grognement furieux. *Et en plus, il a mauvais caractère*, songea Riker. *Il ne devrait pas être trop difficile de lui faire perdre son sang-froid.*

— Alors, vous renoncez ? Je comprends que ça vous déprime de n'avoir pas encore réussi à me toucher. Après tout, je ne suis qu'un humain...

Korak revint à la charge, mais plus prudemment. Il se ramassa sur lui-même et se mit à tourner autour de son adversaire. *D'accord,* se dit Riker. *On passe aux choses sérieuses.* Il se demanda avec inquiétude s'il n'avait pas poussé la plaisanterie trop loin.

Korak lança un coup de poing. Riker le bloqua de l'avant-bras, mais l'impact se répercuta jusque dans son épaule. Un autre coup suivit, et il réagit trop lentement. Le poing du Romulien s'écrasa dans sa poitrine.

Riker recula en titubant. Korak lui saisit un bras et lui décocha deux coups supplémentaires à l'estomac. Riker sentit l'air déserter ses poumons. Il devint tout flasque, et Korak le projeta à l'autre bout du dojo.

Il vola sur trois ou quatre mètres et atterrit rudement sur le sol, cherchant son souffle. Il avait déjà encaissé des coups de poing, mais jamais d'aussi douloureux. Il se demanda s'il n'avait pas eu les yeux plus gros que le ventre.

— Alors, on ne fait plus le malin, à présent ? ricana Korak. Relevez-vous ! Enfin, si vous tenez encore sur vos pieds.

Riker toussa en se remettant debout. Il était musclé et en excellente condition physique, mais il ne pourrait pas encaisser beaucoup d'autres coups sans subir de sérieux dommages. Son estomac était en feu, et une ou deux de ses côtes avaient dû se briser.

*Je ne peux pas le laisser me toucher une nouvelle fois,* songea-t-il. Tous les Romuliens étaient naturellement forts, mais Korak avait reçu un entraînement de guerrier qui le rendait encore plus dangereux. Et après que son adversaire l'eut envoyé deux fois au tapis, il était sur ses gardes.

— Je tiens toujours debout, Korak, grogna Riker à l'attention des Romuliens qui les observaient. Et je peux encore me battre.

Korak revint à la charge. Cette fois, Riker n'essaya pas de se défendre avec un blocage de karaté. Il s'en remit à l'aïkido et au jiu-jitsu pour retourner la force de son adversaire contre lui.

Il esquiva le premier coup, passa sous le bras de Korak, lui enfonça son coude dans le flanc et le renversa. Le Romulien se releva. Riker fit mine de lui décocher un coup de pied dans le bas-ventre. Alors que son adversaire baissait sa garde pour le bloquer, il leva la jambe et le frappa à la tempe.

Korak poussa un grognement et tomba à genoux. Riker avança pour profiter de son avantage, mais le Romulien se laissa tomber sur le dos et lui faucha les jambes. Riker s'effondra, roula sur lui-même et se releva en un clin d'œil.

Les deux hommes se remirent à tourner l'un autour de l'autre. Korak se montrait plus prudent, ayant réalisé que son adversaire était moins faible que prévu. *Ça ne m'arrange pas du tout,* songea Riker. *Il faut que je le distraie. Que je le mette en colère.*

— Que vous arrive-t-il, Korak ? demanda-t-il d'une voix moqueuse. La supériorité romulienne serait-elle trop difficile à prouver ? Peut-être n'êtes-vous pas si fort que vous le croyez. Juste arrogant et grande gueule.

Korak rugit et chargea à nouveau. Riker s'effaça au dernier moment et le projeta sur le sol. *Bien joué,* se félicita-t-il. *Je dois l'empêcher de réfléchir.* Mais ensuite ? Sa seule chance était d'attendre que le Romulien se fatigue, ou de réussir à l'assommer. Dans les deux cas, ça ne serait pas facile. Mais s'il gagnait, le moral des Romuliens s'en trouverait certainement ébranlé.

— On dirait que l'« humain inférieur » vous a encore eu, se moqua-t-il. Et je ne suis même pas le meilleur combattant de ce vaisseau. Le capitaine me bat presque tout le temps, alors qu'il est plus vieux que moi. Il vous aurait mis une bonne raclée !

Hors de lui, Korak attaqua de nouveau. *C'est ça*, songea Riker, *continue à t'énerver*. Il saisit le poignet du Romulien et répéta sa première projection. Mais cette fois, au lieu de lâcher son adversaire, il lui tordit le bras dans le dos et appuya suffisamment pour briser un membre humain. Celui de Korak, toutefois, ne céda pas.

— Allez, railla Will. Relevez-vous, si vous le pouvez.

Ecumant de rage, le Romulien se débattit en tous sens. Riker l'enjamba pour l'immobiliser et accentua la pression. Korak poussa un hurlement de douleur mais ne se rendit pas.

— Abandonnez ou je vous casse le bras, menaça Riker.

Soudain, les portes de l'holodeck s'ouvrirent, et le dojo disparut. Trois guerriers romuliens se précipitèrent à l'intérieur, brandissant leurs armes.

— Lâchez-le ! ordonna l'un d'eux.

Riker obéit. Korak se releva, mécontent.

— Qui vous a dit d'intervenir ? aboya-t-il. Sortez d'ici !

— Mais... commander, nous pensions que vous...

Livide de fureur, Korak marcha sur le guerrier.

— Sortez d'ici ! Je n'en ai pas fini avec cet humain ! Comment osez-vous... ?

A cet instant, son communicateur bipa.

— Passerelle à Korak.

— Oui, qu'y a-t-il ? demanda sèchement le Romulien.

— Nous approchons d'Hermeticus II et nous allons bientôt sortir de distorsion. Le commander Valak souhaite vous parler.

Korak prit une profonde inspiration et tenta de se calmer.

— J'arrive. ( Il se tourna vers Riker. ) On reparlera de ça plus tard, dit-il, les dents serrées. Suivez-moi.

86

Il passa en trombe devant ses guerriers, sortit de l'holo-deck et se dirigea vers l'ascenseur. Du canon de leur arme, les trois gardes firent signe à Riker de les précéder.

— Avancez ! ordonna l'un d'eux.

— Vous êtes arrivés juste à temps, railla Riker.

— J'ai dit : avancez ! répéta le Romulien.

Riker esquissa une courbette et s'exécuta en tentant de ne pas grimacer. Son estomac et sa cage thoracique lui fai-saient atrocement mal. Pourtant, le jeu en avait valu la chandelle. Il avait fait perdre la face à Korak devant ses subordonnés : une victoire mineure, mais une victoire quand même.

En outre, il savait maintenant sur quels boutons appuyer pour que le premier officier de Valak perde son contrôle. C'était une information très utile ; dommage qu'il n'ait pu l'acquérir de façon moins douloureuse. Il ne restait plus qu'à trouver un moyen de s'en servir.

# CHAPITRE V

Alors que les deux vaisseaux sortaient de distorsion et approchaient d'Hermeticus II en utilisant leurs moteurs à impulsion, le *Syrinx* leva à nouveau ses boucliers d'invisibilité, pour que d'éventuels senseurs à longue portée ne détectent que l'*Entreprise*.

Valak souhaitait ne pas prendre de risque. Malgré les dires de ses prisonniers, il était toujours convaincu que la Fédération dissimulait quelque chose sur Hermeticus II. Picard était presque sûr qu'il se trompait... Le doute le taraudait quand même.

Et si un bureaucrate de Starfleet avait bien autorisé la construction d'une base secrète dans la Zone Neutre ? Il n'arrivait pas à croire que quelqu'un ait pu se montrer aussi criminellement stupide, mais il ne pouvait écarter cette possibilité.

De la même façon que les Romuliens utilisaient leur paranoïa comme un prétexte pour renforcer leur hégémonie, certains officiers humains ne reculaient devant rien pour assurer la sécurité de la Fédération. Certes, ils avaient des raisons de le faire. Si les Romuliens respectaient les grandes lignes de la trêve, il leur arrivait parfois de jouer avec le feu.

Cela dit, établir une base secrète dans la Zone neutre leur aurait donné raison. Picard voulait croire que personne à Starfleet n'aurait été assez fou pour risquer la réouverture des hostilités. Un simple avant-poste n'en valait pas la peine. *Mais,* songea-t-il, *et si...*

Non. Il ne devait pas penser à ça. Hermeticus II avait dû être mise en quarantaine pour une bonne raison. Si elle avait abrité une base secrète, pourquoi maintenir des fichiers la concernant dans les banques de données des vaisseaux stellaires ? Un officier assez paranoïaque pour monter une opération pareille n'en aurait certainement laissé aucune trace.

Valak ne trouverait aucune présence fédérale sur Hermeticus II. Alors qu'y trouverait-il à la place ? Il avait reçu l'ordre d'explorer la planète, et ça lui prendrait du temps. Une occasion finirait bien par se présenter à Picard. Du moins l'espérait-il.

Jean-Luc se tenait pour responsable de ce qui s'était passé, mais il devait reconnaître que le plan de Valak était brillant. Comment aurait-il pu savoir que les Romuliens avaient mis au point une drogue simulant assez bien la mort pour tromper senseurs et tricordeurs ? Tout était parti de cet avantage initial.

Valak n'avait pas commis d'erreur. Il avait isolé Picard de son équipage et divisé ce dernier. Depuis qu'ils avaient quitté l'espace de la Fédération, Picard n'avait pas pu communiquer une seule fois avec Riker.

Les officiers restés à bord de l'*Entreprise* ne pouvaient rien tenter à cause de l'étroite surveillance dont ils faisaient l'objet, et par peur des représailles que les Romuliens exerceraient sur leurs camarades. Valak ne leur avait laissé aucune option.

Pendant leur voyage vers la Zone Neutre, Picard s'était creusé la tête à essayer de trouver une solution. En vain. Le plus irritant, c'était que Valak le connaisse si bien. Apparemment, le commander ennemi avait lu son dossier ; il savait comment s'étaient déroulées ses rencontres précédentes avec des Romuliens et il s'en était servi pour établir son plan, anticipant toutes les ripostes auxquelles son adversaire aurait pu penser.

*C'est un guerrier qui agit en maître d'échecs,* songea Picard. *Puisqu'il sait comment je réfléchis, il est temps que je change ma façon de réfléchir. Et que je lui rende la pareille : maintenant, j'ai une chance de l'observer.*

*Il n'est pas infaillible. Sa vanité est sa principale faiblesse. Il ne lui suffit pas de vaincre ses ennemis ; il veut qu'ils reconnaissent ouvertement leur défaite. Une belle contradiction : comme tous les Romuliens, il croit en la supériorité de sa race ; dans ce cas, en quoi l'opinion d'êtres inférieurs lui importe-t-elle ?*

*S'il se pense meilleur que moi, pourquoi cherche-t-il mon respect ? Sans doute parce que, malgré son arrogance, il est jeune et encore pas très sûr de lui. Mais il ne veut surtout pas que ses subordonnés s'en aperçoivent. Je dois donc jouer sur cette vulnérabilité.*

*Valak a peut-être étudié les humains, mais ses connaissances étaient purement théoriques jusqu'ici. Maintenant qu'il se trouve face à face avec nous, il sait que son savoir va être mis à l'épreuve. Je devrais tenter de saper sa confiance en lui : le convaincre qu'il s'est mépris sur moi.*

La réflexion de Picard fut interrompue car les portes de ses quartiers s'ouvrirent, livrant passage à trois Romuliens qui entrèrent sans s'annoncer.

— Le commander veut vous voir sur la passerelle, annonça l'un d'eux.

Picard lui jeta un regard glacial.

— Comme il est aimable à lui de me fournir une escorte.

Durant le trajet, les Romuliens ne pipèrent pas mot, et Picard ne fit aucun effort pour engager la conversation. Il n'avait rien à y gagner : c'était Valak qui l'intéressait. Aux yeux de l'équipage du *Syrinx*, il devait avoir l'air parfaitement maître de lui-même.

Quand il pénétra sur la passerelle, Valak faisait nerveusement les cent pas. Il s'arrêta net en voyant Picard. Ce dernier s'autorisa un léger sourire, qui sembla irriter le Romulien.

— Alors, attaqua Valak, affirmez-vous toujours que la Fédération n'est pas présente dans ce secteur ?

— Je me contente d'énoncer les faits, répondit calmement Picard. S'ils ne se conforment pas à vos souhaits, vous m'en voyez désolé.

— Vraiment, dit Valak en le fixant sans ciller. Dans ce cas, je suppose que mes senseurs sont victimes d'hallucinations, car ils viennent de détecter un vaisseau de la Fédération en orbite autour d'Hermeticus II.

— C'est impossible ! protesta Picard.

— Sur écran, agrandissement maximum, ordonna Valak.

L'image d'Hermeticus II emplit l'écran du *Syrinx*. Au loin, clairement reconnaissable malgré la distance, se trouvait un vaisseau de la Fédération. Les yeux écarquillés, Picard fit un pas en avant.

— De quelle ruse romulienne s'agit-il encore ?

— Vous devez le savoir mieux que moi, riposta Valak. ( Puis, à son équipage : ) Parés à la bataille !

Alors que l'alarme résonnait dans les couloirs du *Syrinx*, Picard ne put détacher son regard de l'écran. Il n'arrivait pas encore à identifier le vaisseau en orbite, mais à la vitesse dont ils s'en approchaient, ça ne tarderait guère.

L'Oiseau de Proie étant toujours caché par ses boucliers d'invisibilité, aucun senseur ne pouvait détecter sa présence. Il n'était donc pas surprenant que le vaisseau en orbite ne réagisse pas. Pourtant, Picard ne tarda pas à avoir le sentiment que quelque chose clochait.

Il fronça les sourcils. Les lignes du vaisseau ! Celui-ci ne ressemblait pas à la nouvelle génération dont faisait partie l'*Entreprise*, celle de la classe Galaxie. Et il était presque moitié plus petit. Soudain, Picard réalisa qu'il s'agissait d'un Constitution datant d'une trentaine d'années.

— Je ne vous entends plus protester, capitaine, fit remarquer Valak d'une voix dure. Maintenant, vous constatez par vous-même la duplicité de la Fédération. Pouvez-vous nier l'évidence ?

— Ecoutez-moi, lança Picard. Quelque chose cloche.

— Vous aviez tort ! aboya Valak. La Fédération aussi a tort de nous prendre pour des imbéciles, et nous allons lui donner une bonne leçon. Préparez les disrupteurs !

— Attendez ! s'écria Picard. Regardez ce vaisseau ! Il est complètement obsolète ! Vous connaissez l'équipement de Starfleet, non ? Utilisez votre cerveau !

« D'après ce que vous m'avez dit, vos ordres étaient d'enquêter sur Hermeticus II. Si vous détruisez ce vaisseau, vous ne saurez jamais ce qui s'est passé ici ! Regardez ! Ses moteurs ne sont même pas allumés ! Vérifiez, si vous ne me croyez pas !

Valak leva la main.

— Disrupteurs en attente, ordonna-t-il. ( Il jeta un regard en coin à Picard, puis se tourna vers son officier scientifique. ) Talar, qu'indiquent les senseurs ?

Le Romulien se pencha sur sa console. Puis il se redressa, l'air étonné.

— Commander, je ne détecte aucun signe d'activité biologique ou électronique à bord du vaisseau de la Fédération.

— Ça pourrait être un piège, dit Valak.

— Comme celui que vous nous avez tendu ? railla Picard. Rassurez-vous, nous ne possédons aucune drogue capable de simuler la mort de façon assez convaincante pour tromper des senseurs. Sinon, nous ne nous serions pas laissés surprendre.

« Par ailleurs, c'est un vaisseau de classe Constitution. Il ne pourrait pas rallumer ses moteurs assez vite pour échapper à vos disrupteurs, même s'il était capable de détecter votre présence, ce qui n'est sûrement pas le cas.

Valak fronça les sourcils.

— C'est vrai, admit-il. ( Il se mordit la lèvre inférieure. ) Diminuez la vitesse de moitié. Gardez les disrupteurs en attente. Quelle est la position actuelle de l'*Entreprise* ?

— Il nous suit toujours : coordonnées deux point huit sur neuf, répondit le navigateur.

Valak croisa les bras sur sa poitrine et réfléchit.

— Alignez-vous sur lui et ouvrez un canal de communication.

— Toute transmission risque de trahir notre présence, objecta l'officier scientifique.

— Peut-être, mais scanner la surface de la planète en ferait autant. C'est pourquoi nous allons laisser l'*Entreprise* se charger de la première approche, expliqua Valak.

— Fréquence ouverte, commander.

— Valak à *Entreprise*. Je souhaite parler à Korak.

Le premier officier romulien confirma les informations données par les senseurs du *Syrinx*.

— Le commander Riker dit que le vaisseau en orbite est un classe Constitution vieux de trente ans, ajouta-t-il. Il prétend ne pas pouvoir l'identifier.

— Vos senseurs longue portée devraient vous permettre de lire son nom sur la coque, objecta Valak. Dès que vous l'aurez, dites au commander Riker de sortir le fichier correspondant de l'ordinateur de bord.

— Je lui ai déjà demandé, mais il a refusé. Que dois-je faire ? s'enquit Korak.

Valak se tourna vers Picard.

— Si vous dites la vérité, vous devez éprouver autant de curiosité que moi vis-à-vis de ce vaisseau. Et s'il n'y a vraiment plus personne à bord, quel mal la lecture du fichier pourrait-elle faire ? Evidemment, si vous préférez que j'oblige le commander Riker à coopérer...

— Mettez-le sur écran, demanda Picard. Je vais lui parler.

Riker apparut bientôt, flanqué de Korak. Picard remarqua que son visage était couvert d'ecchymoses.

— Vous allez bien, numéro un ? s'inquiéta-t-il.

— Ça va.

Visiblement, Riker ne souhaitait pas en dire davantage.

— Faites ce que vous demande Korak, lui ordonna Picard.

— Compris, monsieur. Ça va prendre quelques instants.

Valak hocha la tête.

— Vous affirmez toujours ne rien savoir de ce vaisseau ? demanda-t-il à Picard.

— Sa présence me surprend autant que vous.

Riker réapparut à l'écran.

— Capitaine, d'après nos scanners, il s'agit de l'*U.S.S. Indépendance*.

— L'*Indépendance* ! s'exclama Picard. En êtes-vous certain, numéro un ?

— Oui, monsieur. Il semble que nous ayons affaire à un vaisseau fantôme, confirma Riker.

— Un vaisseau fantôme ? répéta Valak. De quoi parlez-vous ?

— C'est une façon de parler, commander, répondit Riker. On dirait que vos recherches sur Starfleet sont incomplètes. Sinon, vous connaîtriez le nom de l'*Indépendance*. Ce vaisseau est presque une légende.

— On l'a cru détruit il y a une trentaine d'années, ajouta Picard. Quelques membres de l'équipage réussirent à s'enfuir à bord d'une navette, mais le temps qu'on les récupère, ils étaient tous morts. On ne retrouva jamais trace du vaisseau.

— S'il y avait des survivants, ils ont dû faire un rapport avant de mourir, dit Valak.

— Ils l'ont fait, confirma Riker, mais il semble que ce rapport ait lui aussi disparu. Résultat, on ne connaît même pas l'identité des passagers de la navette. Et depuis le temps, personne ne s'en souvient. Nul ne sait ce qui est arrivé à l'*Indépendance*. Un épais mystère entourait son destin... jusqu'à maintenant.

— Vous pensez vraiment me faire avaler cette histoire ridicule ? cracha Valak. Me prenez-vous pour un imbécile ?

Si les moteurs de ce vaisseau étaient coupés depuis si long-temps, il n'aurait pu maintenir son orbite.

— Exact, approuva Picard. Autrement dit, des formes de vie devaient se trouver à bord il y a peu de temps.

— Alors, où ont-elles disparu ? Sur la planète ?

— Impossible, commander, intervint Korak. Selon nos senseurs, l'atmosphère d'Hermeticus II n'est pas respirable par des humains. En outre, nous n'avons détecté ni forme de vie ni structure artificielle à sa surface.

— Aucune ? répéta Valak en fronçant les sourcils. Pourtant, ces créatures ont bien dû aller quelque part !

— Elles ont dû être récupérées par un autre vaisseau, suggéra Korak. C'est la seule explication possible.

— Aucun vaisseau de la Fédération n'est venu ici depuis..., commença Picard.

— Vous disiez déjà ça avant que nous découvrions l'*Indépendance*, coupa Valak. Vous perdez votre crédibilité de seconde en seconde.

Picard haussa les épaules.

— Croyez ce que vous voulez, mais je suis encore plus curieux que vous de percer ce mystère, parce que l'équipage appartenait à Starfleet. Je ne sais pas ce que l'*Indépendance* faisait dans les parages. J'admets cependant que les craintes du Haut Conseil Romulien semblent justifiées.

— Vous pouvez difficilement affirmer le contraire, railla Valak.

— J'ai dit : *semblent* justifiées, fit remarquer Picard. Si la situation était inversée, je penserais sans doute comme vous. Mais il existe peut-être une explication rationnelle.

« Si nous découvrons que ce vaisseau n'a jamais repré-senté une menace pour la sécurité de l'Empire, peut-être pourrons-nous résoudre notre différend de façon satisfaisante pour les deux parties.

— Je reste sceptique. Notre réussite dépendra de votre coopération.

— Dans ce cas, vous admettez que la négociation est possible ? s'enquit Picard, plein d'espoir.

— Un bon commander ne rejette jamais aucune hypothèse. Mais la mission demeure ma priorité, répondit Valak, évasif.

— Je comprends. J'aimerais beaucoup jeter un coup d'œil à l'*Indépendance*.

— Je vais m'y rendre personnellement. Vous pouvez m'accompagner, si vous le souhaitez.

— Puis-je faire une suggestion ?

— Allez-y.

— Demandons au lieutenant-commander Data de venir avec nous. Il peut accéder instantanément à toutes les archives de la Fédération, un atout précieux.

Valak hocha la tête.

— Très bien. Korak, faites téléporter l'androïde à bord. ( Il se tourna vers Picard. ) Après vous, capitaine. Pour notre sécurité à tous, je préfère ne pas vous quitter des yeux.

— Et moi qui pensais que vous appréciiez ma compagnie, répondit sèchement Picard.

*
\* \*

La combinaison spatiale romulienne était un peu trop grande pour Picard. Tandis qu'il prenait place sur la plateforme de téléportation en compagnie d'une équipe d'exploration romulienne, il entendit la voix de Valak dans le haut-parleur de son casque.

— Souvenez-vous que Korak surveille nos transmissions depuis l'*Entreprise*, et que Talar en fera autant sur la passerelle du *Syrinx*.

— Si vous croyez que je suis un danger pour toute une équipe de guerriers, je crains que vous surestimiez mes capacités, répliqua Picard.

— Ce serait toujours mieux que de les sous-estimer, dit Valak. Toutefois, vous n'êtes pas ma seule préoccupation. Si nous tombons dans un piège à bord de l'*Indépendance*, mon équipage en sera aussitôt informé.

Il donna un ordre. Quelques secondes après, l'équipe d'exploration se matérialisa sur la passerelle de l'*Indépendance*.

Celle-ci était déserte, toutes consoles éteintes. Il n'y avait pas le moindre signe de présence à bord. Aucun indice ne permettait de deviner depuis combien de temps l'endroit était vide : dans l'espace, on ne trouvait ni poussière, ni toiles d'araignée, ni souris infestant les recoins. L'équipage avait pu quitter les lieux quelques heures ou quelques dizaines d'années plus tôt.

Les explorateurs n'avaient pour s'éclairer que la lumière incorporée à leur casque. Leur bottes magnétiques leur permettaient d'adhérer au sol, même en l'absence de gravité. L'officier scientifique en second effectua des relevés pendant que ses camarades se déployaient en brandissant leur arme... juste au cas où.

— Pas de traces atmosphériques résiduelles, annonça-t-il bientôt. Les systèmes de survie sont éteints depuis longtemps.

— Et les réacteurs ? s'enquit Valak.

L'officier s'installa derrière la console scientifique et tenta de l'allumer. Il appuya sur plusieurs boutons, mais sans résultat.

— Les commandes ne répondent pas. ( Il consulta son tricordeur. ) Le noyau du réacteur semble endommagé. Les moteurs ne fonctionnent plus. Les générateurs auxiliaires sont muets. Commander, nous sommes à bord d'un vaisseau mort.

— Si vous permettez..., dit Picard.

Valak hocha la tête. Picard se dirigea vers la console d'ingénierie et examina la position des interrupteurs.

— L'*Indépendance* n'est pas mort de négligence, annonça-t-il. Il a été *tué*, ou plutôt, mis en sommeil. Et le plus curieux, c'est qu'on a détruit ses réserves d'antimatière, comme pour l'empêcher de repartir.

— Vérifiez le reste du vaisseau, ordonna Valak aux membres de la sécurité.

— Commander, sans électricité, l'ascenseur ne fonctionnera pas, protesta un guerrier.

— Empruntez les tubes de Jeffries.

Une fois de plus, Picard fut impressionné par les connaissances du Romulien. Les tubes de Jeffries étaient des conduits qui parcouraient les vaisseaux de la Fédération, permettant aux équipes de maintenance d'accéder à leurs points vitaux.

— Il doit y avoir une trappe, soit près de la console de navigation, soit devant les ascenseurs.

Pendant que les guerriers de Valak commençaient les recherches, la forme scintillante du lieutenant-commander Data se matérialisa sur la passerelle de l'*Indépendance*.

— Capitaine, dit l'androïde.

— Monsieur Data, il est bon de vous revoir... Malgré les circonstances.

— Comme c'est touchant, coupa sèchement Valak. Dites-moi, comment ce vaisseau mort parvient-il à maintenir son orbite ?

— C'est normalement impossible, concéda Data. Pourtant, il faut bien que quelque chose le garde en l'air.

— Des fantômes, par exemple ? railla le Romulien. Je crains que cette explication ne me satisfasse pas.

— Moi non plus, renchérit Picard. Et à mon avis, nous n'en trouverons de plus acceptable qu'à la surface d'Hermeticus II.

— Un rayon tracteur, par exemple ? suggéra Valak. Mais pour couvrir une distance pareille, il devrait avoir une puissance considérable. Nos senseurs auraient détecté les fluctuations d'énergie.

Picard hocha la tête.

— Je pense plutôt à une force extraterrestre que ni vous ni moi ne pouvons appréhender.

— Je vous l'ai déjà dit : les explications surnaturelles ne sont pas à mon goût, répliqua Valak.

— Ni au mien. Mais une science beaucoup plus avancée que la nôtre pourrait nous sembler surnaturelle sans l'être le moins du monde.

— La citation exacte est : « Toute technologie suffisamment avancée passerait pour de la magie aux yeux de gens incapables de la comprendre », corrigea Valak. Arthur C. Clarke, philosophe et scientifique Terrien.

— Ne possédez-vous aucune référence romulienne ? lança Picard, irrité.

Valak sourit.

— Attention, capitaine. Votre frustration devient de plus en plus perceptible.

*Le salaud a raison,* songea Picard. Son impuissance le faisait bouillir. Il était déjà assez difficile d'être prisonnier des Romuliens. Voilà qu'un mystère lui tombait sur les bras sous la forme d'un vaisseau fantôme ! Et il ne voyait aucun moyen de résoudre les deux problèmes ; du moins, pas dans l'immédiat.

— Sécurité au rapport ! demanda Valak dans le communicateur intégré à son casque.

— Toujours aucun signe de vie, commander. Nous nous sommes séparés pour explorer le pont des machines et les quartiers de l'équipage.

— Avez-vous découvert des cadavres ?

— Pas un seul.

— Reste-t-il des affaires personnelles dans les cabines de l'équipage ? s'enquit Picard.

Un silence.

— Vous pouvez lui répondre, dit Valak.

A l'autre bout de la ligne, le guerrier hésita.

— Comment pourrais-je le savoir ? Nos Oiseaux de Proie ne sont pas encombrés de frivolités. Je ne sais pas distinguer les affaires humaines de l'équipement normal du vaisseau.

— Cherchez dans les placards des vêtements qui ne ressemblent pas à des uniformes, suggéra Picard, ignorant le ton condescendant du Romulien. Des photos de famille, des objets de toilette...

— Je n'ai pas le temps de..., protesta le guerrier.

— Faites ce qu'il dit, intervint Valak.

Au bout d'une minute, le Romulien annonça :

— Il ne semble pas rester d'affaires personnelles dans les cabines.

— Rien du tout ? insista Picard. Ou l'équipage est-il parti à la hâte après avoir empaqueté le strict nécessaire ?

— Non. On dirait que les humains ont eu le temps de se préparer, répondit le guerrier à contrecœur.

— Autrement dit, il y avait bien un autre vaisseau de la Fédération dans les parages, conclut Valak sur un ton accusateur.

— Ou un vaisseau extraterrestre, corrigea Picard. Vous avez dit vous-même qu'un bon commander doit envisager toutes les hypothèses. Il se peut également que l'équipage soit descendu sur Hermeticus II.

— La surface de la planète n'est pas apte à la survie humaine, lui rappela Valak. Et nos senseurs n'y ont détecté aucune structure artificielle.

— Ils n'ont pas non plus détecté ce qui maintient l'*Indépendance* en orbite, objecta Picard.

— Les vôtres n'ont pas fait mieux, protesta Valak, sur la défensive.

— Précisément, intervint Data. Il n'y a rien à la surface de la planète. Nous pouvons donc en conclure que tout se passe *dessous*.

— Mais bien sûr ! s'exclama Valak. ( Il activa son communicateur. ) Valak à *Syrinx*.

— Ici Talar, commander.

— Envoyez une sonde à longue portée sur Hermeticus II, et tenez-moi au courant du résultat, ordonna Valak.

— Bien compris, répondit Talar.

— Kylor à commander Valak, dit la voix d'un des membres de l'équipe d'exploration. Nous venons d'atteindre la salle des machines. Tout semble avoir été délibérément éteint. Il ne reste personne à bord du vaisseau, et nous n'avons découvert ni cadavres ni traces de violence.

« L'*Indépendance* a pu être évacué suite à un défaut de fonctionnement, mais nous ne pouvons en être certains à ce stade de nos investigations. Des pièces de rechange et des fournitures médicales manquent dans les réserves. L'évacuation s'est apparemment faite dans l'ordre et le calme.

— Mais quand ? s'interrogea Picard à voix haute. Valak, tout ça n'a pas de sens. Humain ou Romulien, personne ne désactive son vaisseau avant de le saboter pour l'empêcher de servir à nouveau. A moins que...

— A moins que ? répéta Valak.

— A moins que quelqu'un d'autre ait voulu empêcher l'équipage de rentrer chez lui.

— Pourquoi ?

— Peut-être y a-t-il sous la surface d'Hermeticus II quelque chose qui représenterait un trop grand danger pour notre civilisation. Je vous rappelle que ce monde a été placé en quarantaine, fit remarquer Picard.

— Pourtant, d'après vous, une partie de l'équipage a tenté de s'échapper, riposta Valak.

— Ces gens devaient savoir qu'ils ne survivraient pas. Une navette possède une autonomie très limitée, et dans cette partie de la galaxie, les chances de croiser un autre vaisseau étaient infinitésimales.

— Alors, quel intérêt ?

— Peut-être étaient-ils assez désespérés pour courir le risque. A moins que mourir à bord d'une navette leur ait semblé préférable au sort qui les attendait sur Hermeticus II.

— Dans ce cas, pourquoi le reste de l'équipage n'en a-t-il pas fait autant ?

— Ce ne sont que des suppositions, rappela Picard. Peut-être n'avaient-ils pas le choix. Certaines personnes ont pu être exposées à une maladie ou un virus mortel ; les passagers de la navette auraient été les seuls rescapés. D'un autre côté, ils ne souhaitaient peut-être pas tant s'échapper que prévenir Starfleet de se tenir à l'écart d'Hermeticus II.

— En l'absence de preuves, inutile de nous perdre en conjectures, déclara Valak. Passons plutôt à l'action.

— Cette planète a été placée en quarantaine il y a environ trente ans. Elle y est restée malgré les progrès technologiques qui ont éliminé la plupart des anciennes causes de quarantaine. Ça devrait nous donner à réfléchir.

— La seule chose qui me donne à réfléchir, répliqua Valak, c'est votre entêtement à nous empêcher de découvrir ce qui se passe sur Hermeticus II.

— Si vous êtes persuadé que j'essaie de vous tromper, je ne peux rien faire pour vous en dissuader, soupira Picard.

— Talar à commander Valak.

— J'écoute.

— Commander, nous avons envoyé une sonde à la surface d'Hermeticus II, et nous venons de recevoir ses premières transmissions. Elles sont... très étonnantes.

— Que voulez-vous dire ?

— Nous ne détectons toujours aucune trace de vie, mais une énorme énergie émane de l'intérieur de la planète. Commander... Hermeticus II est creuse.

— Creuse ? répéta Valak. Voulez-vous dire qu'elle abrite un réseau souterrain de cavernes ?

— Pas vraiment, répondit Talar d'une voix tendue. D'après nos résultats, il n'existe qu'une conclusion possible. Hermeticus II n'est pas une planète, mais un vaisseau spatial.

# CHAPITRE VI

— Un vaisseau ! s'exclama Valak, incrédule.

— Sans le moindre doute, commander. La surface d'Hermeticus II n'est qu'une croûte dissimulant sa coque. Ce qui semble être une atmosphère est en réalité une masse gazeuse maintenue par un champ de gravité artificielle.

« D'après moi, elle possède deux fonctions : faire passer le vaisseau pour une planète, et absorber les détritus expulsés en même temps que les particules ionisées interférant avec nos senseurs.

— Une arche interstellaire, dit Data.

— Une quoi ? s'enquit Valak.

— L'idée fut d'abord proposée par des scientifiques terriens à la fin du vingtième siècle, expliqua l'androïde. A l'origine, on l'avait baptisée Colonie O'Neill, d'après le nom du physicien qui l'avait imaginée. C'était un monde artificiel construit dans l'espace, et dont les structures habitables se trouvaient à l'intérieur.

— Ça ressemble à votre concept de base stellaire, fit remarquer Valak.

— Exactement. Mais le modèle d'O'Neill était cylindrique. Plus tard, Dandridge Cole proposa de creuser un astéroïde possédant une haute teneur en fer pour le faire voyager dans l'espace. Il voulait utiliser des miroirs solaires géants, à base de plastique ultra léger, pour évider

103

son centre et le remplir de réservoirs d'eau. Des moteurs à hydrogène lui auraient imprimé un mouvement de rotation.

« Sous la lumière fournie par les miroirs solaires, l'astéroïde aurait commencé à chauffer et à mollir. Les forces gravitationnelles lui auraient peu à peu donné une forme sphérique, et avec une programmation adéquate, les réservoirs auraient explosé au moment où l'axe central atteignait son point de fusion.

« Résultat : nous nous serions trouvés en présence d'une sphère creuse prête à aménager. Cette idée fut ensuite...

— Merci beaucoup, monsieur Data, coupa Picard pour s'épargner un long discours sur les évolutions du concept d'arche interstellaire à travers les siècles. Mais je tiens à préciser que l'idée de Cole s'appliquait à un petit astéroïde : au maximum, une quinzaine de kilomètres de diamètre, et qu'elle tomba dans l'oubli lorsque se développèrent des méthodes de construction spatiale plus pratiques.

— Ainsi, c'est là que seraient allés les membres de l'équipage, murmura Valak.

— C'est l'explication la plus logique, convint Picard. Mais connaissant la technologie humaine, vous réalisez sans doute que ce construct à l'échelle planétaire ne peut être l'œuvre de la Fédération !

Valak fronça les sourcils.

— Jusqu'ici, je n'ai aucune preuve me permettant de l'affirmer. Le seul moyen d'en être sûr, c'est de nous téléporter à bord d'Hermeticus II.

— Valak, cette découverte modifie la situation, protesta Picard. Nous savons que cette arche se trouve là depuis au moins trente ans. Par conséquent, soit elle est vide et a été capturée par les champs gravitationnels de ce système, soit son équipage a atteint sa destination et se trouve toujours à l'intérieur.

— Vous oubliez une possibilité, fit remarquer Valak. L'équipage de l'*Indépendance* a pu découvrir l'arche vide et en profiter pour installer une base dans la Zone Neutre.

— Réfléchissez, et vous verrez que c'est impossible, dit Picard. L'établissement d'une base nécessite des lignes de ravitaillement, et tout trafic dans ce secteur aurait attiré votre attention depuis longtemps.

— Votre argument ne tient pas debout, objecta calmement Valak. Une arche interstellaire équipée pour des voyages multigénérations doit forcément être autonome.

— Peut-être, admit Picard à contrecœur. Mais pourquoi prendre le risque de dévoiler sa présence en abandonnant l'*Indépendance* en orbite autour d'elle ?

— Judicieuse remarque, approuva Valak. Ça fait beaucoup trop de questions sans réponse, et j'ai toujours été curieux. Que tous les membres de l'équipe d'exploration reviennent sur la passerelle.

« Talar, préparez-vous à nous remonter à bord. J'ai la ferme intention de découvrir ce qui se cache sous la surface d'Hermeticus II.

\*
\* \*

— Entrez, dit le seigneur Kazanak.

Les portes s'ouvrirent ; Valak pénétra dans la pièce.

— Vous avez demandé à me voir ?

— Oui. J'ai suivi vos transmissions avec l'*Entreprise*. Croyez-vous vraiment que la Fédération soit présente sur... ou plutôt, à l'intérieur d'Hermeticus II ?

— Je ne sais plus exactement que croire, avoua Valak. Toutefois, je pense que Picard dit la vérité.

— Vous faites confiance à un *humain* ? s'étrangla le seigneur Kazanak.

— Ce n'est pas une question de confiance, expliqua Valak. Son raisonnement se tient. A ma connaissance, la Fédération ne possède pas les capacités techniques requises pour fabriquer une arche interstellaire. Et si elle avait installé une base ici, elle serait bien bête de trahir sa présence en abandonnant l'*Indépendance* en orbite autour.

Kazanak hocha la tête.

— Dans ce cas, il doit y avoir une autre explication. N'est-il pas étrange que la sonde ne détecte aucun signe de vie à l'intérieur d'Hermeticus II ?

— On ne peut pas vraiment se fier à nos résultats. Les particules ionisées présentes dans l'« atmosphère » de l'arche causent des interférences, pour ne pas parler d'éventuels boucliers indétectables par nos senseurs. Après tout, nous sommes en présence d'une technologie inconnue.

— A en croire Picard, l'*Indépendance* se trouve ici depuis fort longtemps. Si son équipage a été transféré à l'intérieur de l'arche, pourrait-il encore y avoir des survivants ?

— Des survivants ou leurs descendants... Oui, c'est fort possible.

— Que pensez-vous de l'histoire de Picard sur les procédures de quarantaine ?

— Que ses affirmations soient vraies ou fausses reste encore à déterminer. Mais je ne doute pas qu'il croie à ce qu'il raconte.

— Vraiment ? s'étonna le seigneur Kazanak. Vous semblez accorder une confiance inhabituelle au capitaine Picard.

Valak sourit.

— La seule chose dont je sois sûr à son sujet, c'est qu'il saisira la première occasion de se retourner contre moi. C'est pourquoi je n'ai pas l'intention de lui en laisser une.

— Malgré tout, vous semblez... l'apprécier, fit remarquer Kazanak.

— Je le comprends et je le respecte, corrigea Valak.

— Vous le respectez ? Mais... c'est un humain ! s'exclama Kazanak.

— C'est avant tout un ennemi dangereux, riposta Valak.

— Dangereux ? Alors, pourquoi l'avez-vous vaincu aussi facilement ? cracha Kazanak, méprisant. Pourquoi s'est-il rendu ?

— Jean-Luc Picard ne s'est pas rendu.

— Que voulez-vous dire ?

— Je ne le lui ai jamais demandé formellement. La distinction est subtile, je vous l'accorde. Mais si je l'avais fait, il m'aurait combattu jusqu'à son dernier souffle. Avec tout le respect que je vous dois, seigneur, vous ne comprenez pas grand-chose aux humains.

« Tant que Picard pense avoir une chance de retourner la situation en sa faveur, ou de négocier une issue acceptable, il n'entreprendra pas d'action désespérée. Si je lui avais forcé la main, j'aurais dû le tuer, et il nous est plus utile vivant que mort.

— Peut-être, admit le seigneur Kazanak. Mais votre fascination pour les humains me dépasse. J'attends avec impatience la guerre qui les brisera et les remettra à leur place une fois pour toutes. C'est pour ça que j'ai conçu ce vaisseau. Une fois qu'il aura fait ses preuves, il deviendra le fer de lance de notre flotte d'invasion.

« Il faut que cette mission soit un succès. Beaucoup de gens attribuent ma réussite à l'influence de mon père, et je veux leur prouver qu'ils ont tort. Si cette arche contient un élément qui puisse nous aider, ce sera un atout supplémentaire. Imaginez comment le Haut Conseil nous accueillera !

— Ne vous inquiétez pas, seigneur. Je ferai tout mon possible pour élucider le mystère d'Hermeticus II, lui assura Valak.

— Si vous y parvenez, votre avenir est assuré. Mais que ferez-vous si les rumeurs de quarantaine sont fondées ?

— J'ai déjà ma petite idée là-dessus...

— Il n'en est pas question ! s'écria Picard. Je ne vous laisserai jamais faire une chose pareille !

— Je n'ai pas besoin de votre approbation, répliqua sèchement Valak.

— Mes hommes sont vos prisonniers. Vous ne pouvez pas les utiliser comme cobayes !

— En fait, capitaine, je peux cela et bien plus encore. Il n'existe pas de traité régissant les rapports entre nos deux peuples. Nous avons seulement signé une trêve et créé la Zone Neutre pour faire tampon entre notre Empire et votre Fédération. Mais la présence ici de l'*Indépendance* viole cette trêve. Par conséquent, je peux la déclarer nulle et non-avenue.

— La Zone Neutre existe depuis plus d'un siècle. Je doute que vos supérieurs vous aient donné l'autorité d'en disposer à votre convenance, surtout en l'absence de certitudes.

— Quoi qu'il en soit, et pour minimiser les risques imposés à mon équipage, j'ai l'intention de téléporter des membres du vôtre à bord de l'arche. Mon chef de la sécurité, Kalad, les accompagnera vêtu d'un de vos uniformes. Ainsi, il pourra se faire passer pour un Vulcain au cas où Hermeticus II serait occupée par du personnel de la Fédération.

— Et vous voulez peut-être que je choisisse les gens qui vont s'exposer ainsi ? s'indigna Picard.

— Oh, je ne voudrais pas vous imposer ce dilemme, gloussa Valak. J'ai déjà désigné des volontaires : le Conseiller Troi, l'enseigne Ro, le lieutenant-commander Data et le docteur Crusher.

« S'il existe des risques d'infection, votre médecin de bord sera la plus apte à les déterminer. Et au cas où l'équipe affronterait un danger de nature physique, Kalad est mon meilleur guerrier. Par ailleurs, sa présence préviendra toute tentative d'évasion de la part de vos gens.

— S'il existe un risque d'infection, celui-ci ne sera peut-être pas évident, protesta Picard. Vous pourriez sans le savoir introduire un virus extraterrestre dans votre vaisseau !

— Capitaine, aucune mission n'est dénuée de risque. Vos hommes le savent et l'acceptent au même titre que les miens. Je ne fais que mon devoir.

— Si c'est votre dernier mot, j'exige au moins de partir avec eux.

— Combien de fois devrai-je vous répéter que vous n'êtes pas en position d'exiger quoi que ce soit ? Vous resterez ici, où je peux garder un œil sur vous, déclara Valak. Et c'est mon dernier mot.

Malgré les protestations de Picard, ses officiers furent rassemblés dans la salle de téléportation. Valak confia à chacun un fuseur désactivé, afin de sauver les apparences. Seul celui de Kalad était opérationnel.

— Vous ne pouvez pas les téléporter là-bas sans aucun moyen de se défendre ! s'insurgea Picard.

— C'est toujours mieux que de leur donner le moyen de maîtriser mon chef de la sécurité, rétorqua Valak. Capitaine, vos incessantes jérémiades commencent à me fatiguer. Vous êtes le seul à blâmer.

« Si vous n'aviez pas effacé le fichier concernant Hermeticus II, nous saurions à quoi nous attendre. Mais puisque vous êtes responsable de notre manque d'information, il est normal que votre équipage prenne les risques, à titre de compensation.

— Puis-je au moins leur dire quelques mots ?

Valak fit un signe. Picard s'approcha de l'équipe d'exploration.

— J'ai tenté d'empêcher ça, commença-t-il, mais...

— Ne vous inquiétez pas pour nous, capitaine, coupa Ro. Souciez-vous plutôt des Romuliens.

— Beverly, s'il y a le moindre risque d'infection...

— J'ai programmé mon tricordeur pour rechercher tous les virus connus, répondit le docteur Crusher.

— Mais ça ne garantit pas que...

— Il n'y a jamais de garantie, Jean-Luc. ( La jeune femme eut un sourire forcé. ) Tout ira bien.

Picard hocha la tête.

— Monsieur Data, souciez-vous avant tout de votre sécurité. Ne donnez pas à Kalad une excuse pour employer la force contre vous.

— Compris, monsieur.

Il ne restait rien d'autre à dire que « bonne chance ». Picard s'écarta, et Valak donna l'ordre de commencer.

L'équipe d'exploration disparut et fut téléportée sur Hermeticus II. Ses coordonnées d'atterrissage avaient été soigneusement calculées, ce qui n'excluait pas un risque considérable, les données fournies par la sonde n'étant pas fiables à cent pour cent.

Par chance, l'équipe se matérialisa dans un espace découvert, sur une place entourée par plusieurs bâtiments. Kalad dégaina aussitôt son fuseur, prêt à tirer. Les autres, à l'exception de Data que rien ne pouvait étonner, eurent le souffle coupé.

Grâce à la lumière artificielle qui inondait l'arche, ils virent qu'ils se tenaient sur sa surface intérieure : un monde creux qui était aussi un vaisseau multigénération. L'« horizon » les encerclait ; en levant la tête, ils ne voyaient pas le ciel mais les bâtiments qui se dressaient en face, à quelques trente kilomètres au-dessus de leur tête.

Le panorama incurvé était des plus étonnants. Entre les structures artificielles s'étendaient de vastes prairies, de petites collines et des forêts à la végétation dense. Ils avaient la folle impression de regarder une cité à travers une lentille déformante à 360 degrés. Une mer équatoriale encerclait le vaisseau, bordée par une haute falaise qui empêchait l'eau d'inonder la cité en cas d'accélération ou de décélération.

La perspective était complètement brouillée. Prise de vertige, Troi saisit le bras de Ro pour ne pas tomber.

— Je crois que je vais vomir, chuchota-t-elle.

— Tenez bon, Deanna, dit le docteur Crusher. C'est un effet purement psychologique. Vous ne tarderez pas à vous y habituer. Pour l'instant, évitez de lever les yeux.

Troi eut un faible sourire.

— Je ne sais même pas où se trouve le haut.

— Comment peut-on vivre ainsi ? s'étonna Ro. J'ai l'impression que je vais tomber vers le plafond à tout moment.

— C'est une question d'orientation, expliqua Beverly. Je reconnais que c'est perturbant, mais vous ne risquez rien. Essayez de ne pas y penser et concentrez-vous sur votre tricordeur.

— L'atmosphère est très proche des standards de la Terre, annonça Ro en vérifiant l'écran miniature. Nous devrions respirer et nous mouvoir sans problème, même sans ces combinaisons.

— Gardons-les pour le moment, suggéra Beverly. Je ne suis pas encore certaine de l'absence de bactéries dangereuses.

— Très intéressant, déclara Data. ( N'ayant pas besoin de respirer, il était le seul à ne pas porter de combinaison ). Il semble que l'humidité, la pression de l'air et le cycle artificiel du jour et de la nuit soient sous contrôle permanent. Pourtant, je ne détecte aucune forme de vie dans notre voisinage immédiat.

« Toutes les fonctions mécaniques de l'arche paraissent automatisées. Quelle que puisse être la source d'énergie, elle a réussi à maintenir l'environnement en l'absence de créatures pensantes pour lui donner des ordres.

— Valak à équipe d'exploration. Me recevez-vous ?

— Affirmatif, commander, répondit Kalad. Mais il y a de la friture sur le canal.

— De mon côté aussi. Au rapport.

Pendant que Kalad décrivait le vaisseau à son supérieur, les autres continuèrent à effectuer des relevés. Quand le Romulien eut terminé, Valak demanda à Beverly où elle en était.

— Je ne détecte aucune bactérie dangereuse, répondit la jeune femme. L'arche possède un système environnemental autarcique. L'air est respirable. Il doit passer par des filtres qui en retirent toutes les impuretés. Aucune trace de pollution. La température est de vingt-deux degrés.

« Nous n'avons découvert aucun signe de vie, mais la portée de nos tricordeurs est limitée et leurs résultats peut-être faussés par des interférences. Toutefois, je pense que l'atmosphère d'Hermeticus II ne contient rien de nocif.

A bord du *Syrinx*, Valak se tourna vers Picard.

— Autrement dit, il n'y a aucune raison d'avoir mis la planète en quarantaine.

— Il est trop tôt pour tirer une telle conclusion, fit Picard, irrité.

— Nous verrons. Mais plus j'en apprends, plus il me semble que Starfleet a pris de grandes précautions pour dissimuler quelque chose. Et j'ai bien l'intention de découvrir quoi.

*
* *

Riker était assis seul dans ses quartiers de l'*Entreprise*, où on l'avait confiné sur ordre de Korak. Le premier officier romulien préférait le tenir à distance tant que Valak n'avait pas besoin de lui parler.

*J'ai tapé là où ça fait mal*, songea Riker avec satisfaction. *Non seulement je l'ai vaincu en combat singulier, mais c'était sous les yeux de ses subordonnés. Il n'est pas près de l'oublier... Ni de me pardonner. Mais l'important, c'est que ça l'ait déstabilisé.*

Visiblement, c'était la première fois que Korak se battait contre un humain rompu aux arts martiaux, voire la première fois qu'il se battait contre un humain tout court. Il était bien entraîné, et son style de combat lui permettait de parer les mouvements de karaté, pas ceux d'aïkido.

*Normal,* se dit Riker. *Les Romuliens sont une race agressive et conquérante. Les styles de combat défensifs doivent leur être totalement inconnus. Ils respectent la force, mais l'idée qu'on puisse retourner la leur contre eux les désarçonne.*

Riker remercia les cieux du temps qu'il avait passé à travailler les arts martiaux. Depuis le départ de Tasha Yar, un an plus tôt, il n'avait suivi aucun entraînement. Mais la jeune femme avait été un excellent maître ; elle lui avait beaucoup appris, notamment à programmer un environnement adéquat sur l'holodeck.

Longtemps, il avait considéré leurs séances comme une récréation qui lui permettait de se maintenir en forme et d'aiguiser ses réflexes. A présent, elles portaient leurs fruits. Sans elles, Korak l'aurait aplati comme une crêpe. Il y avait une leçon à en tirer, et pas seulement pour le Romulien.

Riker savait une chose : pendant qu'il étudiait Korak, son capitaine devait faire de même avec Valak. Hélas, il ne pouvait communiquer avec lui pour comparer leurs notes et mettre au point un plan d'action.

En séparant les deux hommes, Valak s'était coupé de son premier officier. Korak était plus arrogant et impulsif que lui. A eux deux, les Romuliens auraient fait une formidable paire d'antagonistes, mais sans Valak, Korak serait le maillon faible de la chaîne.

Le seul problème, c'était qu'il se méfiait de Riker. Il l'avait séparé de Picard et du reste de son équipage. Il l'avait fait enfermer dans sa cabine, après en avoir fouillé tous les recoins et déconnecté le terminal informatique. Il avait aussi posté des gardes devant la porte. *Il faut absolu-*

*ment que je trouve un moyen de communiquer avec les autres,* songea Riker.

Soudain, les lumières de sa cabine s'éteignirent, puis se rallumèrent aussitôt. Il leva les yeux. Elles s'éteignirent à nouveau, et se rallumèrent au bout d'une seconde.

Riker mit un moment à comprendre. Il grimaça. Geordi ! Ça ne pouvait être personne d'autre ! L'ingénieur utilisait la lumière pour lui transmettre un message en morse.

Riker saisit un stylo et commença à coucher les points et les traits sur son bloc-notes. *Grands dieux,* songea-t-il en gribouillant avec frénésie, *mon morse est tellement poussiéreux que je vais avoir du mal à tout noter. Pas si vite, Geordi !*

Au bout de quelques minutes, la lumière se rétablit, et Will déchiffra péniblement le message de l'ingénieur : « Conduit de ventilation. Votre cabine. Trois heures. Pour confirmer déconnectez circuit électrique local. »

Riker sourit et, se conformant aux instructions de La Forge, se hâta de plonger momentanément ses quartiers dans les ténèbres. Il ne lui restait plus qu'à attendre trois heures du matin. Mais pourquoi le conduit de ventilation ? Geordi avait beau être plutôt mince et en forme, il aurait du mal à se faufiler là-dedans...

Riker avait plus de trois heures à attendre. C'était sans doute le temps qu'il faudrait à son ami pour parvenir jusqu'à lui, en supposant qu'il ne se fasse pas prendre et qu'il ne reste pas coincé à l'intérieur.

Ce furent les trois plus longues heures de sa vie, surtout quand elles se muèrent en trois heures et demie, puis en quatre. Enfin, il entendit un glissement dans le conduit de ventilation. Il se leva pour ôter la grille de protection, et aida La Forge à s'extraire du passage.

— Malédiction ! grommela tout bas l'ingénieur. Maintenant, je me souviens de ce qu'on éprouve à la naissance !

— Je commençais à m'inquiéter, chuchota Riker pour ne pas alerter les gardes romuliens.

— J'ai bien cru que je n'allais pas y arriver, avoua La Forge. Certains passages étaient vraiment étroits.

— Tenez, buvez un coup, dit Riker en lui tendant un verre d'eau.

— Merci. ( La Forge vida le contenu d'un trait et poussa un soupir de contentement. ) Là, c'est mieux. ( Il sortit un communicateur de sa poche. ) J'ai réussi à en piquer deux pendant que les Romuliens avaient le dos tourné.

« J'ai modifié la fréquence pour qu'ils émettent sur une bande différente, avec une puissance inférieure. Ça ne sortira pas du vaisseau, mais si nous sommes prudents, nous pourrons communiquer entre nous sans qu'ils s'en aperçoivent.

— Bravo, le félicita Riker. Comment ça se passe à l'ingénierie ?

— Ça va, mais il y a toujours un foutu Romulien en train de regarder par-dessus mon épaule. Il sait ce qu'il fait. Seulement, il n'est pas familiarisé avec nos systèmes. Je ne vais pas tarder à perdre patience. Commander, nous devons faire quelque chose !

— Je sais, soupira Riker. Le problème, c'est qu'ils retiennent le capitaine et la moitié de l'équipage en otages sur le *Syrinx*. Je n'ai pratiquement aucun contact avec eux. Ils ont téléporté le docteur Crusher, Deanna, Ro et Data sur Hermeticus II pour tâter le terrain avant que Valak risque ses propres hommes.

— Que se passe-t-il sur cette fichue planète ? s'enquit La Forge.

— Ah, c'est vrai, vous n'êtes pas au courant.

Riker lui fit un bref résumé de la situation.

— Malédiction. On dirait qu'ils nous tiennent, grogna La Forge. Il faut trouver un plan, et vite !

— J'y ai déjà pensé, mais Valak ne nous a pas laissé beaucoup d'options, expliqua Riker. Il faudrait que certains d'entre nous arrivent à monter à bord de l'*Indépendance*.

— Pourquoi ? s'étonna La Forge. Sans réserves d'antimatière, impossible de démarrer. Nous ne pourrions rien en faire.

— Du vaisseau, non. Mais il doit rester des fuseurs dans son armurerie.

— Sauf si les Romuliens les ont confisqués.

— J'ai écouté les rapports de l'équipe d'exploration, et ils n'en ont pas parlé. Ils ont dû penser que les cellules de sarium krellide étaient à plat, expliqua Riker.

— Et ils ont sans doute raison, approuva La Forge. Mais je pourrais les recharger en puisant dans le système électroplasmique du vaisseau. Pour le reste, du moment que les cristaux émetteurs sont encore en état...

— Je ne vois pas pourquoi ils ne le seraient pas. De toute façon, nous avons juste besoin d'assez de fuseurs pour reconquérir notre propre armurerie.

— Attendez un peu. Vous ne croyez pas que vous mettez la charrue avant les bœufs ? Il faut d'abord trouver un moyen de nous téléporter à bord de l'*Indépendance*.

« Même si nous réussissons à neutraliser les gardes postés autour de la plate-forme, le personnel de la passerelle se rendra compte qu'on utilise une des salles. Nous pourrons nous rendre sur l'*Indépendance*, mais les Romuliens nous tomberont dessus tout de suite après.

— A moins que nous n'utilisions pas le téléporteur, fit remarquer Riker.

— Vous voulez prendre une navette ? Mais ils nous tireront comme des lapins ! protesta La Forge. Et puis, je croyais qu'ils les avaient toutes utilisées pour transférer les otages à bord du *Syrinx*.

— Exact. Je ne pensais pas non plus à une navette.

L'ingénieur siffla tout bas.

— Vous voulez dire... Les combinaisons EVA ?

Riker hocha la tête.

— Ça pourrait marcher, concéda La Forge, seulement, nous prendrions un sacré risque. Nous serions plus difficiles à repérer, mais s'ils réussissaient quand même...

« Et, comment monterions-nous à bord de l'*Indépendance* ? Faute de courant, les sas ne doivent plus fonctionner. ( L'ingénieur écarquilla les yeux. ) Ne me dites pas que vous envisagez de les faire sauter de l'extérieur ?

— Si, acquiesça Riker. Je sais que ça semble fou, mais je ne vois pas d'autre solution.

La Forge secoua la tête.

— Ça pourrait marcher, à condition d'ôter les panneaux de contrôle et de charger les circuits avec une source d'énergie portable... Ce qui veut dire que nous serons juste à côté quand ça sautera.

— Je n'ai pas dit que ça allait être facile, concéda Riker.

— Comment allons-nous mettre la main sur les EVA ?

— En empruntant le chemin que vous avez pris pour arriver jusqu'ici.

— Pas question, protesta La Forge. J'ai à peine réussi à passer. Vous n'y arriveriez jamais.

— Je n'aurai pas besoin d'aller très loin. Il suffira de ramper jusqu'à l'ouverture d'un tube de Jeffries, et de faire le reste du chemin dedans. Il faudra agir durant le quart de nuit, pendant que les Romuliens nous croient endormis.

La Forge prit une longue inspiration.

— Très bien, dit-il. Supposons que ça marche et que nous réussissions à mettre la main sur les antiquités de l'*Indépendance*. Supposons encore que nous revenions ici et que je parvienne à les recharger. Et ensuite ?

— Ensuite, tout dépendra de vous. Korak me surveille en permanence. Quand il n'est pas avec moi, il me retient prisonnier ici, expliqua Riker. Vous devrez faire passer le mot à vos hommes. De toute façon, ce sont les intervenants idéaux pour ce que j'ai en tête.

— C'est-à-dire ? demanda La Forge, qui n'était pas certain de vouloir savoir.

— Nous allons les combattre de la seule façon qu'ils n'attendent pas, déclara Riker. Et notre arme sera l'*Entreprise*.

# CHAPITRE VII

— Kalad à *Syrinx*. Commander, vous m'entendez ? Kalad à *Syrinx*. Commander Valak !

Le Romulien fronça les sourcils. C'était son troisième appel, et il ne recevait toujours pas de réponse.

— On dirait que mon communicateur ne fonctionne pas.

— Je vais essayer avec le mien, proposa Beverly. Crusher à *Entreprise*. Vous m'entendez ?

Elle attendit un moment et réitéra son appel, à destination du *Syrinx* cette fois.

— C'est bizarre, le mien ne marche pas non plus, murmura-t-elle.

Data baissa son tricordeur.

— Le problème ne vient pas de nos communicateurs mais des interférences, expliqua-t-il.

— Quel genre d'interférences ? s'enquit Troi.

— Je n'arrive pas à en localiser la source. Mais mon tricordeur affiche des résultats hautement irréguliers.

— Le mien aussi, intervint Ro, flanquant une petite tape à l'appareil. On dirait que quelque chose affecte tous nos appareils.

— Le signal passait très bien tout à l'heure, protesta Kalad, méfiant. Qu'est-ce qui a changé ?

— Je l'ignore, répondit Data. Mais je constate de nombreuses et importantes fluctuations du niveau d'énergie à bord de l'arche. La plupart des systèmes automatisés se mettent en marche alternativement. Je suppose qu'ils génèrent un champ d'interférences.

— Que fera le commander Valak si nous ne donnons pas de nouvelles ? s'enquit le docteur Crusher.

— Soit il nous localisera et nous fera remonter à bord du *Syrinx*, soit il téléportera ici une autre équipe d'exploration, répondit Kalad.

— Nous devrions peut-être revenir à nos coordonnées d'origine, suggéra Troi.

— Non, déclara le Romulien. Notre mission consiste à explorer l'arche et à faire notre rapport. On ne constate aucun danger immédiat. Je réessaierai de contacter le *Syrinx* plus tard. Pour l'instant, nous poursuivons nos recherches.

Les cinq compagnons se dirigèrent vers l'entrée d'un des bâtiments, surmontée d'une voûte mais dépourvue de porte. Ils pénétrèrent dans un hall duquel partaient trois couloirs.

Le plafond était haut et les passages aussi larges que des avenues. La lumière pénétrait par de vastes fenêtres invisibles depuis l'extérieur. Ça et là, des îlots de sculptures abstraites se dressaient au milieu des couloirs. Data consulta son tricordeur et fronça les sourcils.

— Les interférences augmentent, annonça-t-il. Je ne reçois presque plus rien.

— Cette architecture est fascinante, dit Berverly Crusher en regardant autour d'elle. Mais elle ne nous apprend pas grand-chose sur ses concepteurs. Ils pouvaient être grands et larges, ou simplement rechercher une impression d'espace dans cet environnement clos. Quoi qu'il en soit, ils appréciaient l'art : ces sculptures sont vraiment magnifiques.

Elle tendit la main pour en toucher une, mais Troi la retint.

— Attendez.

— Qu'y a-t-il ? s'étonna Beverly.

120

— Je... Je ne sais pas, avoua Deanna en fronçant les sourcils.

Elle leva les yeux vers les étranges silhouettes. Toutes étaient sombres mais possédaient une texture différente. Certaines semblaient lisses et brillantes, d'autres rugueuses et presque grossières. Quelques-unes étaient aussi hautes que des humains, d'autres plus grandes et d'autres plus petites, mais toutes étaient rassemblées en bouquets.

Aucune n'était « solitaire ».

— Percevez-vous quelque chose ? s'enquit Crusher.

Troi secoua la tête.

— Je ne suis pas certaine.

Elle tendit une main hésitante vers une des formes, qu'elle effleura du bout des doigts. Sa surface était dure et froide.

— Non. Je ne sens plus rien maintenant. C'était peut-être l'aura résiduelle de l'artiste, dit-elle en haussant les épaules.

Data fit un pas en avant pour examiner la sculpture.

— C'est curieux, déclara-t-il. Je n'avais encore jamais vu semblable matériau. Ce n'est ni de la pierre ni du métal. On dirait qu'il est synthétique, et qu'il a été moulé.

— Toutes les statues sont différentes les unes des autres, ajouta Ro, mais elles s'harmonisent remarquablement bien.

— Elles ne semblent avoir aucune utilité, cracha Kalad.

— Une utilité esthétique ! corrigea Crusher.

Le Romulien poussa un grognement.

— Nous perdons notre temps. Je ne vois rien ici qui soit digne d'intérêt.

Ils s'engagèrent dans un couloir, passèrent devant d'autres bouquets de sculptures mais ne virent de porte nulle part, comme s'ils marchaient à l'intérieur d'un gigantesque labyrinthe.

Ils passèrent des embranchements et franchirent une arche conduisant à un petit jardin bourré de plantes et de statues. Levant la tête, ils virent que c'était un atrium surmonté par un puits qui traversait les niveaux supérieurs du bâtiment.

— Quelles plantes étranges ! s'émerveilla Beverly.

— Quelqu'un s'en occupe régulièrement, souligna Deanna en examinant un arbre qui ressemblait à un saule.

Celui-ci était entouré de petits buissons parfumés et de miniatures posées dans l'herbe.

— Ainsi, ce vaisseau est bien occupé, conclut Kalad.

— Mon tricordeur ne fonctionne toujours pas, annonça Data. Il est cependant possible que ces jardins soient entretenus par des automates.

— Nous n'en avons vu nulle part, protesta Beverly.

— Jusqu'ici, nous n'avons pas vu grand-chose d'Hermeticus II, lui rappela l'androïde.

— C'est vrai, reconnut la jeune femme, mais je ne crois pas que ce vaisseau soit désert.

— Il ne l'est pas, intervint Deanna d'une voix tendue. J'ai l'impression qu'on nous observe.

Kalad regarda autour de lui, une main posée sur son fuseur.

— Je ne vois personne.

— Moi non plus. Mais j'ai quand même l'impression qu'on nous observe, insista Deanna.

— Pourquoi n'y a-t-il pas de portes ? demanda Ro, étonnée. Qu'y a-t-il derrière ces murs, et comment y accède-t-on ?

— Il existe peut-être des portes que nous sommes incapables d'identifier, répondit Beverly.

— Jusqu'ici, nous n'avons rien vu qui y ressemble. Et les murs sont tellement lisses qu'on ne doit pas pouvoir y cacher grand-chose, dit Deanna.

— Nous n'avons pas vu non plus d'ascenseur ou d'escalier. Pourtant, le bâtiment possède des niveaux supérieurs. Il doit bien y avoir un moyen de monter, déclara Ro.

Kalad essaya de contacter le *Syrinx*, mais son communicateur ne marchait toujours pas.

— La source des interférences se trouve peut-être à l'intérieur de ces murs. Nous allons revenir sur nos pas jusqu'à ce que nos appareils fonctionnent de nouveau, ordonna-t-il.

Les autres lui emboîtèrent le pas ; après quelques minutes, Ro s'arrêta et regarda autour d'elle.

— Nous avons pris le mauvais chemin, déclara-t-elle.

— Non, je suis sûre que nous sommes arrivés par là, protesta Beverly.

— Dans ce cas, où se trouve la sortie ?

— Revenons en arrière, suggéra Deanna. Nous avons dû nous tromper de couloir au dernier embranchement...

— Négatif, Conseiller, coupa Data. J'ai noté le chemin emprunté à l'aller, et nous n'en avons pas dévié d'un pas.

— Dans ce cas, où se trouve la sortie ? répéta Ro.

L'androïde inclina la tête de la façon qui le faisait ressembler à un oiseau.

— Elle devrait être ici.

— Mais elle n'y est pas ! cria Kalad. Vous vous êtes trompés.

— Impossible. C'est par ici que nous avons pénétré dans le bâtiment. Ce couloir se trouvait face à nous, et nous avons tourné à droite. L'arche se dressait à cet endroit précis, dit Data en désignant un pan de mur.

— C'est absurde, protesta le Romulien. Elle n'a pas pu disparaître !

Beverly s'écarta du groupe et se dirigea vers les sculptures les plus proches.

— Data a raison, annonça-t-elle. Ce sont les statues que nous regardions tout à l'heure.

— Peut-être se ressemblent-elles toutes, suggéra Ro.

— Non, ce sont les mêmes, intervint Deanna. J'en suis certaine, moi aussi.

— Alors, dites-moi où se trouve la sortie, s'impatienta Kalad.

— Elle était ici, répéta Data en s'approchant du mur et en posant les mains dessus. Mais elle n'y est plus.

— Que voulez-vous dire ?

— Qu'elle a été scellée d'une manière que j'ignore.

— Autrement dit, nous sommes prisonniers ?

— A moins que nous puissions trouver une autre arche, ou que nous réussissions à ouvrir celle-ci...

*
* *

— Quelque chose ne va pas, dit Valak en se tournant vers Picard. Si c'est à cause de vos officiers que je ne parviens plus à joindre Kalad, vous allez le regretter, soyez-en sûr.

— Croyez-vous que mes hommes auraient agressé votre chef de la sécurité avant de s'enfuir, sachant que vous déteniez leurs camarades en otages ? D'ailleurs, ils n'auraient aucun endroit où aller. Vous contrôlez les seuls moyens de remonter à bord.

— C'est ce qu'il me semble, acquiesça Valak. Toutefois, nous ne pouvons nier qu'ils ne répondent pas à nos appels.

— Peut-être parce qu'ils ne peuvent pas. Et s'ils étaient blessés, ou pire ? Envoyez-moi là-bas, demanda Picard d'une voix pressante. Téléportez-moi avec une autre équipe d'exploration, et laissez-moi découvrir ce qui leur est arrivé.

— Je ferai encore mieux, grimaça Valak. Je vais descendre en compagnie d'un groupe d'attaque, et vous allez être du voyage. ( Il se tourna vers ses gardes. ) Conduisez le capitaine à la salle de téléportation, et attendez-moi là-bas. ( Puis, reportant son attention sur Picard : ) Si vous m'avez menti et que des membres de la Fédération nous attendent sur Hermeticus II, je les anéantirai jusqu'au dernier.

Après le départ de Picard, Valak donna l'ordre de constituer un groupe d'attaque, puis il quitta la passerelle et se dirigea vers les quartiers du seigneur Kazanak.

— Entrez.

Les portes s'ouvrirent ; Valak pénétra dans la cabine du noble. Assis derrière son bureau, celui-ci leva les yeux vers lui.

— Ah, Valak. J'étais en train de préparer mon rapport. J'y ai inclus votre journal de bord, ainsi que mes propres observations. Avez-vous quelque chose à y ajouter ?

— Nous avons perdu tout contact avec l'équipe d'exploration, seigneur. Je vais me rendre personnellement sur place pour découvrir ce qui lui est arrivé.

Kazanak fronça les sourcils.

— Pensez-vous que les officiers de Starfleet se soient rebellés ?

— Tant que je n'en sais pas plus, je ne peux me prononcer, répondit Valak, évasif. Je vais laisser Korak aux commandes de l'*Entreprise*. Jusqu'à mon retour, mon officier scientifique sera responsable du *Syrinx*. Il s'appelle Talar. Il veillera à votre confort et vous tiendra informé minute après minute.

Kazanak hocha la tête.

— Très bien. Je suivrai d'ici vos communications avec la passerelle, et je consulterai votre premier officier pour avoir des comptes-rendus réguliers.

— Si mon groupe et moi ne revenons pas, vous devrez abandonner cette mission et détruire l'arche. Je laisse à votre jugement le sort des prisonniers.

— Nos guerriers sont capables de faire face à toutes les menaces que vous pourriez rencontrer.

— Seigneur, il se peut que les avertissements de Picard aient été fondés. Si les mesures de quarantaine étaient justifiées, vous devrez détruire l'arche, insista Valak.

— Nous n'en sommes pas encore là, et si nous y arrivons, j'aviserai, déclara Kazanak. Jusque-là, j'attendrai vos rapports avec impatience.

Valak s'inclina, sortit, puis rejoignit Picard et ses hommes dans la salle de téléportation. Avec leur disrupteur et leur armure de bataille, les trente guerriers romuliens constituaient une force impressionnante. Il les divisa en trois escadrons commandés par un officier.

— Antor, votre escouade descendra la première. Torak, la vôtre suivra. Le capitaine Picard et moi nous téléporterons avec celle de Sirok. Si vous rencontrez une résistance, écrasez-la sans sommation.

Les dix premiers guerriers prirent place sur la plateforme. Valak beugla un ordre et ils se dématérialisèrent dans le rayon bleu du téléporteur. Le deuxième escadron les suivit, puis ce fut le tour du dernier.

Picard se plaça entre Valak et Sirok. Il était le seul à ne pas porter d'arme, le commander romulien lui ayant accordé un tricordeur pour tout équipement. Autant dire qu'il ne se sentait guère en sécurité, mais il s'inquiétait plus encore pour Beverly et les autres.

— Energie, ordonna Valak.

Quelques secondes plus tard, ils arrivèrent à l'endroit où l'équipe d'exploration s'était matérialisée, une heure et demie plus tôt. Vingt guerriers s'étaient déjà déployés en cercle, prêts à tirer sur tout ce qui bougerait.

Picard remarqua à peine leur présence.

— Seigneur ! s'exclama-t-il en levant la tête.

La vue était à couper le souffle. Le rapport de Kalad n'avait pas fait justice à l'arche. Intellectuellement, Picard s'était préparé à la découvrir, mais l'avoir sous les yeux pour de bon était une toute autre affaire.

Il s'était déjà rendu sur certaines bases spatiales construites selon le modèle O'Neill, mais aucune n'était aussi grande. Un flot de lumière artificielle inondait l'incroyable panorama d'Hermeticus II. Les cités étaient littéralement suspendues à l'envers dans son ciel.

Autour de la place, les bâtiments semblaient d'inspiration cubiste ; ils rappelaient vaguement les œuvres de l'architecte terrien Paolo Soleri. Au lieu de s'aligner en rangées, ils étaient agglutinés les uns contre les autres telles des formations cristallines. Outre son originalité, ce monde à l'envers possédait une beauté surréaliste à couper le souffle.

— L'extérieur est camouflé pour ressembler à une planète, mais l'intérieur... Croyez-vous encore que la Fédération aurait pu construire un vaisseau pareil ? demanda Picard.

Impressionné, Valak secoua la tête.

— Non. Il me semble clair que ce n'est pas l'œuvre d'humains. Mais ça ne veut pas dire que les lieux ne sont pas *occupés* par des Terriens en ce moment. ( Il activa son communicateur. ) Valak à équipe d'exploration. Au rapport.

Pas de réponse. Il fit une nouvelle tentative.

— Valak à équipe d'exploration. Au rapport, Kalad !

Il attendit quelques secondes, mais sans résultat. Pendant qu'il essayait de contacter le vaisseau, Picard consulta son tricordeur.

— Valak à *Syrinx*.

Rien.

— Valak à *Syrinx*. Talar, répondez !

— Je sais pourquoi nous n'avons pas de nouvelles de l'équipe d'exploration, annonça Picard en désignant son tricordeur.

— Valak à *Syrinx*. Talar, me recevez-vous ?

— Il ne peut pas vous entendre, dit Picard. Des interférences empêchent nos appareils de fonctionner.

— Elles n'ont pas affecté nos premières communications avec l'équipe d'exploration, protesta Valak, méfiant.

— Mais elles le font maintenant. Mon tricordeur ne me servira à rien, et vos communicateurs non plus.

Valak dégaina son disrupteur et tira sur un arbre aux branches arachnéennes, qui se désintégra.

— En tout cas, nos armes fonctionnent toujours, remarqua-t-il avec satisfaction.

— Les tricordeurs fonctionnent sur la même fréquence que les communicateurs. Nous sommes peut-être en présence d'un phénomène temporaire, dû aux fluctuations d'énergie enregistrées par votre sonde, avança Picard.

— Ça semblerait logique. ( Valak rengaina son arme et se tourna vers ses guerriers. ) Torak, partez sur la droite avec votre escouade. Antor, vous irez de l'autre côté. Sirok et moi allons explorer les environs. On se retrouve ici dans une heure.

— Dans une heure, il fera nuit, dit Picard.

— Ça m'étonnerait : il n'y a pas de soleil.

— Mais la personne qui a construit cette arche a reproduit le cycle du jour et de la nuit. Ne voyez-vous pas que la lumière diminue peu à peu ?

Valak leva la tête et fronça les sourcils.

— C'est vrai, admit-il. Mais je ne vois pas sa source.

— Moi non plus. Peut-être est-elle diffusée par des miroirs solaires. Tout ce dont nous pouvons être certain, c'est qu'il fera bientôt noir.

— Dans ce cas, ne perdons pas de temps. Partons à la recherche de l'équipe d'exploration, et retrouvons-nous ici à la tombée de la nuit.

*
* *

— Nous errons depuis des heures ! s'écria Kalad, exaspéré. Il doit bien exister une sortie !

— A mon avis, nous tournons en rond, fit remarquer Ro. Nous sommes déjà passés devant ces sculptures.

— Et voici l'atrium où nous sommes entrés tout à l'heure, ajouta Beverly. ( Elle soupira. ) Je commence à être fatiguée.

— La nuit tombe, annonça Deanna .

— Je croyais que la lumière était artificielle, protesta Kalad.

— Dans ce cas, quelqu'un est en train de l'éteindre. Voyez vous-même.

Le reste du groupe pénétra dans l'atrium. Beverly se laissa tomber sur un banc.

— On dirait que nous allons passer la nuit ici, dit-elle sans enthousiasme.

Kalad activa à nouveau son communicateur.

— Kalad à *Syrinx*. Kalad à *Syrinx*. Me recevez-vous ?

Pas de réponse. Il poussa un grognement de frustration.

— Votre commander finira bien par envoyer des gens à notre recherche, suggéra Troi.

— C'est peut-être déjà fait. Mais comment nous retrouveraient-ils ? lança Ro.

— Il est possible que nous ayons déclenché un mécanisme de sécurité invisible en pénétrant dans ce bâtiment, intervint Data.

— Ou que quelqu'un ait fait exprès de nous y enfermer, ajouta Crusher.

— C'est la seconde possibilité que j'allais évoquer, acquiesça l'androïde.

— Pensez-vous vraiment que ce soit le cas ? demanda Ro.

— Il y a toujours une probabilité, hélas, je ne dispose pas des données suffisantes pour la calculer. Nos tricordeurs ne peuvent même pas nous dire si ce vaisseau est habité ou non. Mais les fonctions automatisées marchent à la perfection, et ce jardin est bien entretenu : deux facteurs qui suggèrent la présence de créatures intelligentes.

— Dans ce cas, pourquoi ne se montrent-elles pas ? cracha Kalad, exaspéré.

— Faute d'informations spécifiques, je ne peux répondre.

— Vos réponses dénuées d'émotion commencent à m'agacer. Nous sommes prisonniers ici, et vous bavassez comme si de rien n'était.

— Je suis un androïde dépourvu d'émotions, et je ne bavasse pas, riposta Data. Je répondrais à votre question au mieux de mes capacités.

Le Romulien serra les poings.

— J'en ai assez de chercher une sortie. Si ça continue, je vais m'en faire une à coups de fuseur !

— Ça ne me semble pas une bonne idée, dit Data en secouant la tête. Nous ne connaissons pas la composition de cette structure. Le rayon de votre arme peut...

— Silence ! rugit Kalad. Si vous avez peur, vous n'avez qu'à m'attendre ici. Je reviendrai vous chercher après avoir fini. Et si la vie des otages vous importe, vous feriez mieux d'être encore là !

— Où voudriez-vous que nous allions ? répliqua Crusher.

— Les humains ! cracha Korak, plein de mépris.

Il dégaina son fuseur et sortit de l'atrium, où le silence retomba.

— Il fait de plus en plus noir, dit Deanna au bout de quelques minutes. Il est tellement bizarre de voir ces bâtiments suspendus dans le ciel. Mais on doit finir par s'y habituer, je suppose.

— Espérons que nous n'en arriverons pas là, soupira Ro. Croyez-vous que nous réussirons à partir d'ici ?

— Ce n'est pas la première fois que nous sommes dans une situation délicate, lui rappela Crusher. Le capitaine trouve toujours un moyen de nous en sortir.

Ro prit une longue inspiration.

— J'aimerais me sentir aussi confiante.

— Ils enverront une équipe à notre recherche. J'en suis certaine, lui assura Troi.

— Et s'ils ne nous retrouvent pas ? Souvenez-vous : pour les Romuliens, nous sommes quantité négligeable.

— Mais pas Kalad.

— Il m'étonnerait que Valak le juge indispensable, sinon, il ne l'aurait pas envoyé ici avec nous.

— Le capitaine ne nous abandonnera jamais, déclara Beverly.

— Il n'aura peut-être pas le choix, grimaça Ro. Si les Romuliens l'y obligent... ( La jeune femme s'assit près de Crusher. ) On dirait que la situation est vraiment critique, cette fois.

— Dans tous les cas, à moins que Kalad réussisse à trouver une sortie, nous devrons passer la nuit dans ce labyrinthe, leur rappela Deanna.

Data fronça les sourcils.

— En parlant de Kalad... Nous aurions dû l'entendre tirer depuis un moment.

Beverly se redressa.

— C'est vrai, murmura-t-elle.

Elle échangea un regard inquiet avec Ro.

— Il ne nous aurait quand même pas abandonnés ici ? demanda Deanna.

— De toute façon, il n'aurait pas pu sortir sans utiliser son disrupteur.

— A moins qu'il n'ait trouvé un autre moyen. Peut-être l'arche s'est-elle rouverte, dit Ro, pleine d'espoir. Nous ferions mieux d'aller voir. Je ne fais pas confiance à ce Romulien.

Beverly se releva en soupirant.

— Dépêchons-nous. Je tombe de fatigue.

— Entre le stress et la marche que nous venons de faire, rien d'étonnant, compatit Ro. Moi-même, j'ai déjà été plus en forme.

Ils sortirent de l'atrium et regardèrent dans toutes les directions, mais ne découvrirent pas trace de Kalad.

— Où a-t-il bien pu partir ? s'étonna Beverly.

— Je ne sais pas. ( Ro mit les mains en porte-voix. ) Kalad ! Kalad, m'entendez-vous ?

Son appel se répercuta dans les couloirs ; personne ne lui répondit.

— Je n'aime pas ça, dit Troi.

— Il n'a pas pu se volatiliser, protesta Crusher.

— Il a dû lui arriver quelque chose.

— Peut-être devrions-nous nous séparer et partir à sa recherche, suggéra Data.

— Hors de question, déclara Ro. On reste ensemble. Souvenez-vous que nous ne sommes pas armés.

— Quelle pensée réconfortante, souffla Crusher.

— Nous devrions retourner jusqu'à l'endroit par où nous sommes arrivés. L'arche s'est peut-être rouverte...

Ils revinrent sur leurs pas, mais se heurtèrent au même mur désespérément lisse que la fois précédente. Ro tapa du poing dessus.

— On dirait qu'il n'y a jamais eu d'ouverture, enragea-t-elle.

— Nous savons qu'elle était là, intervint Data. Par conséquent, elle a été scellée afin que personne ne puisse détecter sa présence.

— Ça ne nous aide pas beaucoup.

— Non, mais ça explique probablement pourquoi nous n'avons vu aucune porte : toutes doivent être dissimulées de la même façon.

— C'est idiot, protesta Ro. Pourquoi faire des portes invisibles ? Et comment les construire de telle sorte qu'on ne puisse même pas distinguer un contour ?

— Je n'ai pas dit que c'était rationnel, ni que je savais comment on avait procédé, répliqua l'androïde. J'ai simplement constaté l'évidence. Pour répondre à votre question... L'ingénierie moléculaire est une possibilité.

— Vous voulez dire, la nanotechnologie ? s'enquit Crusher.

— Exactement. A ce jour, les scientifiques de la Fédération n'ont fait qu'effleurer son potentiel. A terme, ils pourront sans doute créer des nanocircuits capables de programmer les fonctions d'une structure au niveau atomique.

— Voulez-vous dire que la structure moléculaire de ce mur pourrait s'altérer d'elle-même pour créer une porte ? s'étonna Troi.

— En théorie, c'est possible, répondit Data.

— Autrement dit, déduisit Ro, ce bâtiment est capable de prendre toutes les formes qu'il veut ?

— Je dirais plutôt que ses composants moléculaires jouissent d'une certaine flexibilité dans les limites allouées par leur fonction, corrigea l'androïde.

— Donc, un mur peut former une porte ou une arche, mais pas une chaise ou un escalier, à moins qu'on l'ait programmé pour ? demanda Crusher.

Data inclina la tête .

— Votre résumé est plutôt simpliste, mais néanmoins correct.

— Génial, soupira Ro. Alors, où se trouve la poignée ?

— La poignée ? répéta l'androïde. Ah, vous voulez dire le mécanisme contrôlant la fonction ! ( Il secoua la tête. ) Je l'ignore.

— Décidément, vous nous êtes d'un grand secours.

— Je perçois de l'ironie dans votre voix, enseigne, et je n'en comprends pas la raison. Je fais de mon mieux, étant données les informations dont je dispose.

— Elle ne voulait pas vous froisser, Data, intervint Troi. Mais nous sommes tous épuisés et à cran.

— Pour couronner le tout, on n'y voit presque plus rien, ajouta Ro.

— Je me sentirais mieux si Kalad n'avait pas disparu, soupira Crusher. Au moins, il avait un fuseur.

— Je ne sais pas ce qui lui est arrivé, mais son arme ne lui a pas été d'un grand secours, constata Ro.

— Nous ne sommes pas certains qu'il ait eu des ennuis, précisa Data. Il est parti et n'est pas revenu, c'est tout.

— Deanna a l'impression qu'on nous observe depuis le début, rappela Ro. Il a dû arriver quelque chose à Kalad, sinon, il serait déjà là. Il est responsable de nous devant Valak.

— Qu'allons-nous faire ? s'interrogea Crusher à voix haute.

— Nous ne pouvons pas rester debout toute la nuit, déclara Ro. Nous ne savons même pas combien de temps elle dure. Cherchons un endroit pour nous allonger. Puis nous organiserons des tours de garde.

— Ce ne sera pas nécessaire, intervint Data. N'ayant pas besoin de sommeil, je peux veiller indéfiniment.

— Bien sûr. Parfois, j'oublie que vous n'êtes pas réellement humain.

— Merci.

Ro eut un léger sourire.

— De rien.

— Retournons à l'atrium, suggéra le docteur Crusher. Nous pourrons dormir sur les bancs. Je suis si fatiguée que je ne ferai pas la différence avec mon lit.

— Je n'irais pas jusque là, mais dans ces circonstances, nous ne pouvons pas faire les difficiles, admit Troi.

— Espérons seulement que les « circonstances » ne se prolongeront pas. Je n'aime pas l'idée d'être prisonnière de cette arche.

— J'aime encore moins l'idée qu'un guerrier romulien armé ait disparu sans laisser de trace, renchérit Ro. A mon avis, nous ne sommes pas seuls ici...

Troi s'humecta nerveusement les lèvres.

— A mon avis non plus.

# CHAPITRE VIII

Alors que la nuit tombait sur l'arche, le groupe de Valak, de Picard et de Sirok revint au point de rendez-vous. Ils étaient les premiers et n'avaient découvert aucune trace de l'équipe d'exploration.

Picard s'inquiétait de plus en plus pour ses officiers. Valak semblait soucieux lui aussi, mais pour une toute autre raison.

— Kalad n'aurait pas disparu comme ça. En constatant que son communicateur ne fonctionnait pas, il aurait dû revenir tout de suite à ses coordonnées d'arrivée. Peut-être a-t-il rencontré des amis à vous...

— Vous croyez encore que l'arche est occupée par du personnel de la Fédération ? Mais il n'y a pas le moindre signe de vie à bord ! protesta Picard.

— Ce vaisseau est très grand, et nous sommes loin de l'avoir entièrement exploré.

— Tout de même, ses habitants auraient déjà réagi à notre présence !

— A moins qu'ils soient en train de nous tendre un piège.

Valak tenta une nouvelle fois de contacter le *Syrinx*. Sans succès. Il jura entre ses dents.

— Si ces interférences affectent nos communications, elles risquent également d'affecter les transmissions de la sonde. Talar ne pourra pas nous localiser.

— Et un balayage à l'aveugle ne donnera probablement rien, compléta Picard.

— Je ne nous le souhaite pas, grogna Valak.

Picard fronça les sourcils.

— Pourquoi ?

— Parce que j'ai donné l'ordre à mes hommes de détruire l'arche si nous ne sommes pas revenus dans un laps de temps raisonnable.

— Détruire l'arche ! s'écria Picard. Et mon équipage ?

— Etant le premier officier du *Syrinx*, c'est Korak qui décidera de leur sort, mentit Valak. Pour votre sécurité comme pour celle de vos gens, il vaudrait mieux que ces interférences ne durent pas.

— Pensez-vous que quelqu'un brouille intentionnellement nos signaux ? s'enquit Picard.

— L'idée m'a effleuré. Je trouve bizarre que nous ayons d'abord pu communiquer avec l'équipe d'exploration... Puis plus rien. Les interférences peuvent résulter des variations détectées par ma sonde, mais il existe peut-être une autre explication.

Avant que Picard puisse répondre, ils entendirent un cri et virent l'équipe d'Antor revenir vers eux en courant. Valak fronça les sourcils.

— Il s'est passé quelque chose.

— Commander, déclara Antor, hors d'haleine, en s'arrêtant près de lui, nous avons perdu plusieurs hommes.

— Que voulez-vous dire ? Qu'est-il arrivé ?

— Nous étions en train de fouiller les rues dans la zone que vous nous aviez affectée, quand Dalok a vu bouger quelqu'un sous l'arche d'un bâtiment. Je l'ai envoyé avec Eivak, Istak et Jalad. Ils sont entrés dans le bâtiment. Deux secondes plus tard, l'arche a disparu !

— Disparu ? répéta Valak. Comment est-ce possible ?

Antor secoua la tête.

— Je l'ignore, commander. Le mur l'a escamotée.

136

— Soyez plus précis. Avez-vous vu un panneau glisser ?

— Non. On aurait plutôt dit que le mur changeait de forme pour boucher l'entrée. L'arche s'est complètement scellée. Je me suis d'abord cru victime d'hallucinations, mais nous avons sondé le mur, et il était solide comme le roc.

— Ne me dites pas que vous avez laissé vos hommes à l'intérieur !

— Nous avons tiré avec nos disrupteurs. Sans résultat, s'excusa Antor.

— Impossible, protesta Valak.

— Par les dieux, commander, je vous jure que ça s'est passé ainsi ! Nos armes n'ont pas causé le moindre dégât à ce maudit bâtiment !

— Comment un matériau peut-il être assez malléable pour bouger, mais invulnérable aux tirs de disrupteurs ?

— Il doit posséder une mémoire moléculaire et la densité nécessaire pour encaisser de tels impacts, intervint Picard.

— Une mémoire moléculaire ? répéta Valak, perplexe.

— Cette technologie fut développée sur Terre au début du siècle, expliqua Picard. Tout d'abord, les scientifiques fabriquèrent des alliages de métaux capables de reprendre une forme spécifique quand on les soumettait à la chaleur.

« A un niveau plus avancé, l'ingénierie moléculaire devrait produire des matériaux qu'on programmera pour exécuter certaines fonctions. Elle est en plein développement.

— Je n'en ai jamais entendu parler, avoua Valak.

— Le terme plus couramment employé est « nanotechnologie ». Elle consiste, par le biais de la chimie moléculaire, à fabriquer des machines plus petites que des cellules vivantes. Ses applications sont virtuellement illimitées.

« Dans le domaine médical, on pourrait concevoir des nanomachines qu'on injecterait dans le sang des patients, et qui voyageraient jusqu'à certaines parties du corps pour soigner les blessures ou régénérer les tissus.

« De la même façon, on pourrait fabriquer des matériaux de construction capables de se réassembler au niveau moléculaire. Tout cela n'est que supposition, mais ça expliquerait ce qui vient de se produire. Voyez-vous une autre hypothèse ?

— Tout ce que je vois pour l'instant, c'est que quatre de mes guerriers sont prisonniers à l'intérieur d'un bâtiment sans issue, grogna Valak. Et Torak qui ne revient pas !

— Commander, regardez ! s'écria Antor.

Autour d'eux, des groupes de sculptures abstraites se dressaient sur la place, entourées de buissons et d'arbrisseaux. Certaines émirent une douce lueur, projetant sur le sol d'artistiques jeux d'ombres et de lumière.

— Des lampadaires, dit Picard.

— Ces statues sont donc aussi fonctionnelles que décoratives, lâcha Valak d'un air dégoûté. Pour l'instant, j'ai mieux à faire que de les admirer.

— Notez cependant qu'elles s'éclairent seulement dans notre voisinage immédiat, dit Picard.

Valak regarda autour de lui et vit qu'ils avaient raison. Les sculptures les plus éloignées restaient plongées dans l'obscurité.

— Elles doivent être équipées de senseurs qui réagissent à notre présence. Il suffit de nous déplacer légèrement pour nous en assurer, suggéra Picard.

— Même si c'est le cas, qu'est-ce que ça peut faire ? grommela Valak.

— Ça indique que nous ne sommes pas seuls ici, dit Picard, tendant un doigt.

Valak tourna la tête. Dans une autre section de l'arche, presque au-dessus d'eux, brillaient quelques points lumineux.

— L'équipe d'exploration ?

— Ça m'étonnerait, répondit Picard. Nous avons atterri au même endroit qu'elle. Kalad et mes officiers ont disparu depuis quelques heures : ils n'auraient pas eu le temps de faire tout ce chemin à pied.

— Sur un vaisseau de cette taille, il doit forcément exister un moyen de transport, rappela Valak.

— Mais comme vous l'avez fait remarquer, ils ne se seraient pas autant éloignés après avoir découvert que leurs communicateurs ne fonctionnaient plus.

— Dans ce cas, nous devons admettre qu'il y a quelqu'un d'autre à bord de ce vaisseau.

— Je n'avais jamais écarté cette possibilité. Je me bornais à vous dire que l'arche n'abritait aucune base de la Fédération. Et je suppose que vous êtes parvenu à cette conclusion par vos propres moyens.

— Commander, quelqu'un est en train de se téléporter ! annonça Antor.

Ils pivotèrent juste à temps pour voir un autre groupe de Romuliens se matérialiser derrière eux.

— Talar ! s'exclama Valak en reconnaissant son officier scientifique.

— Nous n'arrivions pas à vous contacter, commander. Nous étions inquiets pour vous.

— Des interférences empêchent nos communicateurs de fonctionner. Mais pourquoi accompagnez-vous cette équipe ? Je vous avais ordonné de veiller sur le *Syrinx* !

— Le seigneur Kazanak a pris le commandement en votre absence, expliqua Talar. C'est lui qui m'envoie.

— Le seigneur Kazanak a pris le commandement ? répéta Valak, éberlué.

— Qui est-ce ? demanda Picard.

— Le fils d'un membre de notre Haut Conseil, et le concepteur du *Syrinx*, répondit Valak.

— Vraiment ? Je n'ai jamais rencontré de membre de la noblesse romulienne. Dommage que vous ne nous ayez pas présentés.

— Je doute que le seigneur Kazanak ait envie de faire votre connaissance. Il n'apprécie guère les humains.

— Je vois. Et il est maintenant maître de votre vaisseau, ainsi que des membres de mon équipage qui se trouvent à bord. Je suppose qu'il pouvait légitimement remplacer Talar ?

— Il représente le Haut Conseil durant notre mission. Il a toute l'autorité nécessaire, dit sèchement Valak.

— Et vous n'aimez pas ça du tout.

— Ce que j'aime ou non ne vous concerne pas !

Picard ne put réprimer un sourire.

— Vous n'aimez pas ça du tout, donc.

— Le seigneur Kazanak a commis une erreur. Maintenant, quatre équipes sont en mission, sans aucun moyen de contacter le vaisseau.

— Je craignais que ce soit le cas, et j'avais suggéré une solution au seigneur Kazanak, intervint Talar. Dans une heure, il fera activer le téléporteur sur toute une zone plutôt que sur un nombre donné de cibles. Même si nous ne pouvons communiquer avec le *Syrinx*, il suffira de nous trouver au bon endroit au bon moment pour être ramenés.

— Une heure risque de ne pas suffire, dit Valak. Plusieurs de nos guerriers ont disparu, et nous n'avons toujours pas retrouvé l'équipe d'exploration.

— Le seigneur Kazanak dit que les humains n'ont pas d'importance, répondit Talar.

— Vraiment ? Et votre chef de la sécurité ? répliqua Picard.

— Je n'ai aucune intention d'abandonner un de mes officiers, à moins d'y être forcé, déclara Valak. Si nous le retrouvons, nous aurons vos gens avec. Peut-être sont-ils prisonniers d'un des bâtiments, comme les hommes d'Antor.

— Prisonniers ? répéta Talar.

Valak lui expliqua rapidement ce qui s'était passé.

— Et Torak n'est toujours pas revenu, conclut-il.

— Je peux envoyer un groupe à sa recherche, proposa Talar. Mais si les disrupteurs n'ont aucun effet sur ces murs, comment libérerons-nous les prisonniers ?

— S'il existe un moyen de fermer une porte, il y a forcément un moyen de l'ouvrir. C'est vous l'officier scientifique, non ? répliqua Valak. Le capitaine Picard pense que ce mur est peut-être un produit de la nanotechnologie.

— L'ingénierie moléculaire ? s'enquit Talar.

— Comment ? Vous en avez entendu parler ? s'étonna Valak.

— Nos scientifiques travaillent dessus, comme les humains. Mais ils n'ont guère connu de succès.

— Contrairement aux créateurs de cette arche, grimaça Valak. Accompagnez Antor et trouvez un moyen d'ouvrir cette porte. Les autres, vous venez avec moi. Nous partons à la recherche du groupe de Torak.

— Avez-vous pensé que quelqu'un a sans doute *délibérément* refermé la porte sur vos guerriers ? intervint Picard. Antor dit que l'un d'eux a vu un mouvement dans l'entrée. Sans doute était-il destiné à les attirer à l'intérieur. Torak et ses hommes ont pu subir le même sort.

— J'y ai pensé, admit Valak, sinistre. Si c'est bien le cas, je vous jure que les coupables vont le regretter amèrement, qu'ils appartiennent à la Fédération ou pas !

*
* *

La porte s'ouvrit. Korak pénétra dans la cabine de Riker comme s'il y était chez lui.

— Les Romuliens ne frappent-ils donc jamais ? se plaignit Will.

— Frapper ? Pourquoi faire ? s'étonna le premier officier de Valak.

— Rien..., soupira Riker. Peu importe ! Qu'est-ce qui vous amène ? Voudriez-vous une revanche ?

— La prochaine fois que nous nous affronterons — et soyez sûr qu'il y en aura une —, je serai prêt à déjouer vos manœuvres.

— Vous faites bien de me le dire : ça me laisse le temps d'en préparer de nouvelles.

— Plaisantez pendant que vous êtes encore en état de le faire.

— Brrr ! Arrêtez, j'en tremble dans mes bottes ! ricana Will. Avez-vous quelque chose à me dire, ou êtes-vous venu pour me terroriser ?

— Il vous intéressera sans doute d'apprendre que nous n'avons toujours pas de nouvelles de la première équipe d'exploration, ni du groupe d'attaque où se trouvaient le commander Valak et votre capitaine. On vient de m'informer qu'une autre équipe a été téléportée à bord d'Hermeticus II, et qu'elle n'a pas donné signe de vie non plus.

— Perdre vos hommes devient une habitude, plaisanta Riker.

Il était inquiet, mais il ne voulait pas le montrer.

— En l'absence du commander Valak, le seigneur Kazanak a pris le commandement du *Syrinx*, poursuivit Korak, le visage fermé.

— Le seigneur Kazanak ?

— C'est le concepteur du *Syrinx*, et surtout le fils d'un membre du Haut Conseil. Il veut s'emparer de l'*Entreprise*. Une prise de guerre !

— J'ignorais que la Fédération était officiellement en guerre avec l'Empire Romulien.

— Avec des Oiseaux de Proie comme le *Syrinx*, nous le serons bientôt. Vos vaisseaux n'auront pas une chance contre les nôtres. La Fédération sera pulvérisée.

— J'ai déjà entendu ce refrain. Vous noterez que nous sommes toujours là.

— Vous noterez aussi que vous êtes nos prisonniers. Le commander Valak voulait vous ramener sur Romulus, mais le seigneur Kazanak se moque de votre sort.

— Je vois.

— Ça m'étonnerait... Le seigneur Kazanak n'est pas un guerrier. Il me confiera donc le *Syrinx*. Autrement dit, votre sort sera entre mes mains... ( Korak eut un sourire mauvais. ) Mais ne craignez rien. Quoi qu'il arrive, vous vivrez assez longtemps pour m'accorder une revanche.

Riker serra les poings. Le Romulien tourna les talons et sortit ; les portes se refermèrent derrière lui avec un léger sifflement.

Riker s'accroupit et récupéra sous sa couchette le communicateur modifié qu'il avait caché une seconde avant que Korak pénètre dans sa cabine.

— Geordi ?

— Je suis toujours là, répondit la voix de l'ingénieur. Que s'est-il passé ?

— Notre ami Korak vient de me rendre une petite visite. ( Riker poussa un soupir de soulagement. ) C'était moins une. Il m'a presque pris la main dans le sac.

— Que voulait-il ?

Riker résuma rapidement la conversation.

— On dirait que les choses se précipitent, dit Geordi.

— Le problème, c'est que je ne peux rien faire tant qu'il me garde enfermé ici. Je l'ai humilié devant ses hommes, et ma présence sur la passerelle le lui rappellerait continuellement. Il veut que je tremble dans ma prison en imaginant ce qu'il va me faire. Avez-vous progressé ?

— J'ai pu parler à quatre de mes hommes, mais ça n'a pas été facile avec les Romuliens qui me collent aux basques, expliqua Geordi, frustré.

— Avec nous, ça fait déjà six, l'encouragea Riker. Si on arrive à douze, on aura une chance de s'en sortir. Une petite chance...

— Je fais de mon mieux étant données les circonstances.

— J'ai confiance en vous, mais il ne reste pas beaucoup de temps. Ce Korak est un arriviste borné.

— Pour l'instant, c'est le dernier de nos soucis. Nous allons *marcher* dans l'espace jusqu'à l'*Indépendance* en essayant de ne pas nous faire repérer. Puis il faudra mettre la main sur des fuseurs, revenir ici, les recharger et prendre le contrôle de l'*Entreprise* alors que les Romuliens tiennent toujours une partie des nôtres en otages sur leur vaisseau. Ensuite, il faudra récupérer le capitaine et les autres. Je vois à peu près un million de raisons pour que ça ne marche pas.

— Et moi, une pour que ça marche : c'est notre seule chance.

— Je vois. Pouvez-vous me donner un jour de délai supplémentaire ?

— Je ne sais pas si nous disposons d'autant de temps.

— Bon... Alors, c'est retour à la case « conduits de ventilation et tubes de Jeffries », soupira La Forge. C'est le seul moyen de contacter une demi-douzaine d'hommes avant ce soir.

— Faites de votre mieux, et tâchez de ne pas être pris. Terminé.

*
* *

Pendant que ses compagnes dormaient, Data montait la garde dans l'atrium. Les trois femmes avaient ôté leurs combinaisons, car l'atmosphère de l'arche semblait respirable ; de toute façon, leurs réserves d'oxygène étaient épuisées.

Troi et Crusher s'étaient allongées sur les bancs. Ro préférait le sol du jardin. Il ne faisait pas complètement noir : certaines statues émettaient une douce lueur ; d'autres projetaient des ombres étranges dans la lumière éthérée.

Pour passer le temps, Data analysait tout ce que lui et ses compagnes avaient vu jusque-là. Ayant déterminé que les statues étaient équipées de senseurs qui réagissaient à leur présence, il cherchait à comprendre pourquoi les constructeurs de l'arche l'avaient munie de portes invisible après s'être donné tant de mal pour créer un environnement aussi confortable qu'esthétique.

Une conclusion s'imposait : les portes étaient impossibles à détecter pour des intrus, pas pour les indigènes. Plus Data réfléchissait, plus il lui semblait évident que quelqu'un avait refermé derrière eux l'arche par où ils étaient arrivés. C'était la seule explication qui collait avec la disparition de Kalad.

En plus, Deanna Troi sentait une présence autour d'eux. Data était incapable d'intuition, mais il se fiait aux capacités de la jeune femme. Ça ne laissait pas trente-six possibilités : soit Kalad avait trouvé un moyen de sortir du bâtiment ( auquel cas il serait sans doute revenu les chercher ), soit il s'était fait capturer par les occupants du vaisseau.

Data et ses compagnes ne pouvaient communiquer avec personne, et ils n'étaient pas armés. L'androïde veillait sur le sommeil des jeunes femmes, mais il n'était pas certain de pouvoir les défendre si quelqu'un les attaquait. Cela dit, le fuseur de Kalad ne lui avait apparemment pas servi à grand-chose.

*C'est à un moment comme ça que les humains s'inquiètent ou paniquent,* songea Data. Lui-même était incapable de telles émotions, même s'il les comprenait plus ou moins. Ses compagnes ne semblaient pas effrayées, mais peut-être cachaient-elles bien leur jeu. Malgré leur fatigue, elles avaient eu du mal à s'endormir. *Comment les protéger de mon mieux ?* se demanda l'androïde.

Il fit les cent pas en silence, pour ne pas réveiller les jeunes femmes. Il avait remarqué que le capitaine Picard arpentait souvent la passerelle, les mains croisées dans le dos, disant que ça l'aidait à réfléchir. Data l'imita, et constata au bout de quelques minutes que ça ne produisait pas le même effet sur lui.

Soudain, il entendit un bruit de pas faisant écho au sien. Il s'arrêta et fit volte-face, plissant les yeux pour mieux voir dans la pénombre. Mais seul le souffle régulier des trois femmes résonnait à ses oreilles.

Il fit un pas, puis un autre. Au troisième, il leva le pied et le garda en l'air. Pourtant, il entendit un bruit.

— Il y a quelqu'un ? demanda-t-il tout haut.

Pas de réponse. Les occupants de l'arche n'avaient aucune raison de comprendre sa langue. Ro s'agita dans son sommeil ; Data se rapprocha d'elle. Les bruits de pas retentirent de nouveau.

— Ro, appela l'androïde.

— Oui ? marmonna la jeune femme en ouvrant les yeux. Qu'y a-t-il ?

— Je crois que nous avons de la visite.

Ro bondit sur ses pieds et porta instinctivement la main à son fuseur, puis jura en se souvenant que Valak leur avait donné des armes désactivées.

— Deanna ! Beverly ! Debout !

Les deux autres femmes se réveillèrent en sursaut. De nombreuses années au service de Starfleet leur avaient appris à être immédiatement opérationnelles.

— Que se passe-t-il ? demanda Crusher.

— Data dit que quelqu'un vient.

Une silhouette vêtue d'une robe à capuche émergea des ombres, à l'autre bout de l'atrium. Avec un bruissement de tissu, plusieurs autres l'imitèrent et vinrent se placer autour d'elle.

— Il serait prudent d'indiquer que nos intentions ne sont pas hostiles, suggéra Data.

L'androïde leva lentement les mains, bientôt imité par les trois femmes. Les silhouettes noires s'approchèrent du petit groupe.

— Qui êtes-vous ? demanda l'une d'elle en standard.

— Nous sommes des officiers du vaisseau *Entreprise*, qui appartient à la Fédération, expliqua Crusher. Nous ne vous voulons aucun mal.

Troi écarquilla les yeux.

— Ils sont humains ! s'écria-t-elle, son empathie béta-zoïde ayant reconnu la nature de leurs visiteurs.

L'homme qui venait de parler repoussa sa capuche en arrière. Il avait les cheveux blancs et une courte barbe poivre et sel.

— Oui, nous sommes humains, déclara-t-il. Vous avez devant vous les survivants du vaisseau *Indépendance*.

Ses camarades l'imitèrent. La plupart semblaient âgés d'une cinquantaine ou d'une soixantaine d'années ; certains étaient plus vieux encore, d'autres sortaient à peine de l'adolescence.

— D'après nos archives, l'*Indépendance* a été détruit il y a trente ans, dit Ro. Nous l'avons découvert en orbite...

— Exact, approuva le vieil homme. Nous sommes ici depuis toutes ces années.

— Vous, je veux bien le croire, dit Ro, mais certains de vos gens n'ont pas vingt ans.

— Ce sont nos enfants et nos petits-enfants. Ils ont grandi ici et n'ont jamais connu d'autre existence. Je suis le commander Morgan Llewellyn, officier en second de l'*Indépendance* et chef de cette colonie.

Data et les autres se présentèrent. Puis Llewellyn désigna un homme, sur sa droite, qui avait l'air très vieux.

— Voilà le lieutenant Giorgi Vishinski, notre médecin de bord. ( Il se tourna vers un femme à la peau noire. ) Le lieutenant Charmaine Jamal, notre officier tactique. Le lieutenant-commander Sven Nordqvist, notre ingénieur. ( Un grand Nordique esquissa un sourire. ) Et le lieutenant Kiri Nakamura, notre officier scientifique. ( Une petite femme Asiatique s'inclina légèrement. ) C'est tout ce qui reste de l'équipage de la passerelle. Le capitaine Wiley et le lieutenant-commander Glener ont tenté de s'échapper à bord d'une navette en compagnie du chef Connors et de l'enseigne Morris. Nous ne savons pas ce qu'ils sont devenus.

— La navette fut découverte dérivant dans l'espace de ce système, dit Troi. Tous les passagers étaient morts. Mais il ne reste plus trace de l'incident dans les archives de Starfleet. Le fichier a été perdu ou classé avec les autres informations concernant Hermeticus II.

— Hermeticus II ? répéta Llewellyn, étonné.

— C'est le nom officiel de cette planète, répondit Data. Enfin, de ce que nous pensions être une planète, mais qui n'en est visiblement pas une. Nous avons beaucoup de questions à vous poser, commander.

Llewellyn fronça les sourcils.

— Qu'êtes-vous : un robot ?

— Le terme correct est « androïde », monsieur, corrigea Data.

— Etonnant, murmura le vieil homme. Il semble que la Fédération ait fait de grands progrès technologiques depuis notre départ.

— Vous devez savoir qu'un Oiseau de Proie nous a accompagnés jusqu'ici, intervint Crusher. La situation est compliquée et dangereuse. Les Romuliens contrôlent nos deux vaisseaux.

— Nous sommes déjà au courant. La Fédération est-elle actuellement en guerre avec l'Empire Romulien ? s'enquit Llewellyn.

— Pas à proprement parler. Mais les Romuliens pensent que la présence de votre vaisseau dans la Zone Neutre est un motif de rupture de la trêve, expliqua Data.

— Les Romuliens se sont emparés de l'*Entreprise*, ajouta Crusher. Ils tiennent les nôtres en otages à bord de leur Oiseau de Proie. Ils avaient pour mission d'explorer Hermeticus II, où ils pensaient trouver une base de la Fédération.

Llewellyn hocha la tête.

— Je comprends. Il semble que les choses n'aient pas beaucoup changé. Nous devons avoir une longue conversation. Je vous propose de nous rendre dans un endroit plus confortable.

— Commander, l'officier romulien qui nous accompagnait a disparu. Savez-vous ce qu'il est devenu ? s'enquit Troi.

— Oui. Ne vous inquiétez pas pour lui. Je répondrai à toutes vos questions. Si vous voulez bien me suivre...

Le vieil homme se dirigea vers le mur du fond. Alors qu'il s'en approchait, la paroi ondula, et une arche s'ouvrit devant lui.

— Incroyable, souffla Beverly. Comment faites-vous ça ?

Llewellyn sourit.

— Je me souviens de mon propre émerveillement quand j'ai découvert ce phénomène, il y a très longtemps. Aujourd'hui, je n'y fais plus attention. Vous trouverez ici beaucoup de choses étonnantes, docteur Crusher. Le niveau technologique d'Hermeticus II, comme vous l'appelez, est bien supérieur au nôtre.

— Mais... Comment avez-vous ouvert le mur ? balbutia Troi.

— J'y ai simplement pensé.

— Vous voulez dire qu'on le contrôle par l'esprit ?

— D'une certaine façon, lâcha Llewellyn en s'engageant dans un couloir. Je ne prétends pas savoir exactement comment ça fonctionne. Beaucoup de gens savent utiliser des ordinateurs, mais peu sont capables de créer des programmes...

« Les constructeurs de ce vaisseau ont atteint un niveau technologique au-delà de notre compréhension. Pour poursuivre mon analogie, disons qu'ils ont appris à le programmer au niveau moléculaire.

— La nanotechnologie, lâcha Data.

— Tout à fait. Ils ont trouvé un moyen de structurer la matière de telle sorte qu'elle puisse se réassembler au niveau moléculaire. A notre époque, la nanotechnologie était encore purement théorique, du moins dans le cadre de la Fédération. Nos scientifiques ont-ils franchi ce cap ?

— Ils ont fait des progrès considérables en manipulation des protéines et en conception de microcircuits, mais la véritable nanotechnologie reste encore du domaine de la théorie, répondit Data.

— Pas pour les constructeurs de ce vaisseau, comme vous pouvez le constater. Monsieur Data, de mon temps, vous aussi étiez encore du domaine de la théorie. Et pourtant, voilà que je mène une conversation avec vous.

« C'est une chose que j'ai apprise au cours de mes années ici, ou plutôt, dont je me suis souvenu. Enfants, nous croyons que tout est possible ! L'arche que nous venons de franchir est contrôlée par la pensée, mais pas n'importe quel genre de pensée. Il ne suffit pas de vouloir qu'elle s'ouvre. Il faut savoir *comment* le vouloir.

— Voulez-vous dire qu'elle répond à une commande spécifique ? s'enquit Crusher.

— En partie, approuva le vieil homme, mais il faut diriger votre énergie mentale. On frôle le domaine de la parapsychologie. Etes-vous familiarisée avec le concept de télékinésie ?

— Le déplacement des objets par la pensée ?

— C'est ça. Nous avons découvert que le vaisseau fonctionne selon des principes similaires. Je n'ai pas vraiment ouvert le mur avec mon esprit. La procédure implique ce que j'appelle des senseurs télépathiques.

« L'idée, c'est d'entraîner votre esprit à produire un certain type d'énergie mentale. C'est le même genre de faculté que doivent développer les médiums et autres voyants.

— Comment avez-vous appris ? demanda Troi.

— Chaque chose en son temps. Je ne peux pas condenser trente années d'études en une minute d'explication.

— Vous semblez en très bonne santé, si on considère que certains d'entre vous doivent être centenaires, intervint Ro. Votre colonie a prospéré, vos enfants se sont développés normalement. Comment avez-vous survécu ? Et pourquoi avez-vous abandonné l'*Indépendance* ?

— D'excellentes questions. J'y répondrai en temps voulu. Pour l'instant, nous devons régler des problèmes plus immédiats.

Llewellyn s'avança vers une seconde arche à travers laquelle on distinguait un labyrinthe de couloirs. Il la franchit et disparut sous les yeux stupéfaits de Data, Crusher, Troi et Ro.

— C'est une forme évoluée de téléportation, leur expliqua le docteur Vishinski. Ne vous inquiétez pas.

Data fut le premier à passer. Comme Llewellyn, il sembla se volatiliser. Troi et Crusher échangèrent un regard et franchirent l'arche à leur tour. Ro hésita.

— S'il vous plaît, l'invita Vishinski. C'est sans danger, je vous assure.

*Comment puis-je en être certaine ?* songea la jeune femme. *Vous n'êtes peut-être même pas celui que vous prétendez être.*

Les autres étaient déjà passés : il ne lui restait qu'à les suivre.

Elle avait des soupçons vis-à-vis des « rescapés » de l'*Indépendance*, mais le moment était mal choisi pour les révéler. Ses camarades et elle étaient désarmés et en nette infériorité numérique dans un environnement extraterrestre dont ils ignoraient le fonctionnement.

Les réponses, quelles qu'elles puissent être, se trouvaient de l'autre côté de l'arche.

Ro fit un pas en avant.

# CHAPITRE IX

— J'en ai assez de rester ici à ne rien faire, gronda Miles O'Brien à voix basse. Allons-nous nous rendre sans combattre ?

— J'éprouve la même chose que vous, dit Worf, mais nous sommes toujours sans nouvelles du capitaine. Et puis, nous devons penser aux enfants. Toute tentative de rébellion les mettrait en danger.

— Ils sont *déjà* en danger, intervint Keiko O'Brien, volant au secours de son époux. Quelle chance les Romuliens leur laisseront-ils ?

Allongés sur les matelas que leurs geôliers avaient empilés dans le hangar, les trois compagnons chuchotaient tout bas.

— Elle a raison, monsieur, affirma l'enseigne Tyler, chargé de l'entretien des systèmes environnementaux. Les Romuliens ne nous laisseront pas partir. Ils nous tueront tous.

— Ou ils nous vendront sur leurs marchés aux esclaves, ajouta le lieutenant Arthur, l'assistant de Worf.

— Je préfère que mes enfants meurent plutôt que de connaître ce sort, déclara Keiko.

— Plus bas ! lui ordonna Worf, jetant un coup d'œil vers les gardes postés aux portes du hangar. ( Il regarda Keiko. ) Je suis un guerrier klingon. Croyez-vous que ça me fasse plaisir d'être prisonnier ?

« Mon sang bout à cette idée, mais que puis-je faire ?
Le capitaine nous a dit d'attendre. Je ne possède pas l'autorité nécessaire pour entreprendre une action de mon propre chef.

— Vous êtes le plus gradé des officiers présents, répliqua O'Brien. Pour ce que nous en savons, le commander Riker et le capitaine Picard sont peut-être déjà morts.

— Dans le cas contraire, ils ont les mains liées à cause de nous, souligna Arthur.

— Les nôtres le sont pareillement, répliqua Worf. Nous n'avons pas d'armes. Si nous tentons de maîtriser les gardes, ils nous descendront sur place, ou ils battront en retraite et nous laisseront enfermés ici.

« Ils pourraient aussi ouvrir les portes extérieures, annuler le champ de force et nous tuer tous, ou purger le système environnemental et nous laisser suffoquer.

— Mais nous ne pouvons pas rester là sans rien faire ! dit O'Brien.

— Monsieur, intervint Tyler. Si j'arrive à me glisser derrière cette navette, je serai dissimulé à la vue des gardes. J'ai remarqué un panneau d'accès dans le mur. Je crois qu'il cache les commandes des portes extérieures. Si j'arrive à les bloquer, les Romuliens ne pourront pas dépressuriser le hangar.

— Mais ça n'éliminera pas la menace que représentent les gardes, fit remarquer Worf. Et puis, vous n'arriverez jamais à atteindre le panneau sans vous faire remarquer.

— Il aurait une chance si nous créons une diversion, dit O'Brien. Une dispute un peu bruyante, une petite bagarre...

— Peut-être, admit Worf. Et ensuite ?

— Je pourrais monter dans la navette et la mettre en marche, proposa Tyler. Vous profiteriez de la surprise des gardes pour vous jeter sur eux, pendant que je bloquerai les portes intérieures pour retarder l'arrivée des renforts.

— Beaucoup d'entre nous mourront, soupira Worf. Je ne crains pas la mort, si je peux tomber comme un guerrier, mais risquer la vie des enfants...

Il jeta un regard vers son fils, Alexandre, qui dormait à poings fermés. Quelle ironie ! Il était en train d'inciter ses camarades à la prudence au lieu de suivre les principes de sa race et de les pousser à combattre. Officier le plus gradé, il avait des responsabilités envers les otages.

Maintenant, il comprenait ce que le capitaine Picard ressentait durant les moments de crises. Le capitaine d'un vaisseau était une figure paternelle parce qu'il possédait l'autorité et inspirait le respect. Il était aussi le protecteur de ses « enfants » : l'équipage. Son devoir était toujours clair. Pas la façon dont il devait l'accomplir...

La nature de Worf le poussait à vaincre ou à mourir au combat. Mieux valait résister que se soumettre. Mais l'heure n'était pas au sacrifice. Il serait peut-être très noble de tomber face aux Romuliens ; ça se révélerait tragique si ça entraînait la mort d'un ou plusieurs enfants.

Worf se rappela combien il s'était senti mal à l'aise en apprenant qu'il avait un fils. A l'époque, il n'était pas prêt à endosser les responsabilités d'un père. Deanna Troi lui avait donné de précieux conseils, même s'il avait eu du mal à admettre qu'il ne pouvait pas se débrouiller seul. Cela lui avait paru une preuve de faiblesse.

Il avait mis du temps à comprendre que personne n'était totalement autonome. Ceux qui croyaient l'être souffraient de la plus grande faiblesse de toutes : ils étaient incapables de s'appuyer sur leurs amis.

Là résidait la force du capitaine Picard. Emotionnellement, il était l'humain le plus solide que Worf ait jamais connu. Pourtant, il demandait toujours l'avis de ses subordonnés. *Dans cette situation,* songea le Klingon, *je dois faire de même, si je veux être un bon chef.*

Il détacha les yeux de la silhouette endormie de son fils.

154

— Votre idée n'est pas bête, dit-il à Tyler. En supposant que nous réussissions, les Romuliens pourraient toujours nous asphyxier en purgeant l'atmosphère du hangar.

« Notre seule option serait de monter à bord des navettes pour nous échapper. Et où irions-nous ensuite ? Sur l'*Entreprise*, pour retomber entre les mains de l'ennemi ?

— Si nous pouvions nous emparer des armes de nos gardes, nous aurions une chance de leur résister, avança Arthur.

— En outre, la diversion serait peut-être suffisante pour permettre à nos camarades restés à bord de l'*Entreprise* de passer à l'action, renchérit Tyler, les yeux brillants.

— Vous oubliez une chose, dit Worf. Si vous déconnectez les commandes de la passerelle, il faudra ouvrir les portes extérieures manuellement, depuis le panneau de maintenance. Une fois que les Romuliens auront compris ce que nous sommes en train de faire, ils s'empresseront de dépressuriser le hangar.

— Il suffira de monter tous à bord des navettes avant d'en amener une au niveau du panneau de contrôle, dit Tyler. Le temps que le hangar se vide de son oxygène, j'aurai tout loisir d'ouvrir les portes et de sauter à l'intérieur.

— A supposer que vous y arriviez, il m'étonnerait que les Romuliens de l'*Entreprise* nous laissent aborder, poursuivit Worf. Ils refuseront de nous ouvrir les portes de leur hangar. Et dès que nos réserves d'oxygène seront épuisées, nous mourrons à quelques mètres de notre vaisseau !

— Quand nos camarades sauront que nous nous sommes échappés, ils seront libres de s'insurger contre les Romuliens de l'*Entreprise*, dit O'Brien.

— Le *Syrinx* n'attaquera pas l'*Entreprise*, ajouta Arthur. Pas tant qu'il restera la moitié de son propre équipage à bord. Nous aurions une chance de reprendre le contrôle du vaisseau.

— Partagez-vous cet avis ? demanda Worf en jetant un regard circulaire autour de lui.

Tous hochèrent la tête.

— Monsieur, dit Keiko, nous connaissions les risques quand nous nous sommes engagés dans Starfleet. Et quand nous avons fait des enfants. Nous vous respectons. Quoi que vous décidiez, nous vous suivrons.

Worf réfléchit longuement, puis hocha la tête, fier de ses subordonnés. Il se demanda ce que le capitaine aurait fait dans cette situation. Mais la réponse était déjà inscrite sur le visage de ses compagnons.

\*
\* \*

Les tirs de disrupteurs résonnant dans les rues d'Hermeticus II galvanisèrent Valak et ses hommes. Les Romuliens coururent vers leur source ; plusieurs encadraient Picard. La lumière des curieux lampadaires suivit leur progression, les statues s'allumant à leur approche et s'éteignant après leur passage.

En atteignant le lieu présumé de la bataille, ils ne découvrirent rien. Ils se déployèrent, armes brandies, tous les sens en alerte. Picard s'approcha de Valak alors que celui-ci lançait des ordres.

— Couvrez la zone, mais restez en contact visuel avec vos voisins. Torak ! Talar ! Antor, vous m'entendez ? Répondez-moi !

— Vous n'arrêtez pas de perdre vos guerriers, dit Picard, ironique. Déjà dix-huit qui disparaissent sans laisser de traces ! J'ignorais que les Romuliens étaient d'aussi bons prestidigitateurs !

Valak le foudroya du regard.

— Je vous rappelle que vos officiers ont également disparu !

156

— Je ne suis pas près de l'oublier. D'autant plus que si nous ne rétablissons pas très vite le contact avec le *Syrinx*, cette arche sautera à cause de vos ordres judicieux.

Visiblement frustré, Valak serra les poings.

— Au moins, nous mourrons ensemble, grogna-t-il.

— Si je dois périr, vous n'êtes pas la dernière personne que j'aie envie de voir, grimaça Picard.

— Commander ! appela un Romulien. ( Il revint vers eux en courant. ) J'ai découvert ça. ( Il tendit un disrupteur à Valak. ) Il était posé sur le sol.

— Aucun de mes guerriers n'abandonnerait son arme à moins d'être mort, déclara Valak, très raide.

— Il n'y avait aucun cadavre à proximité, commander.

— Dans ce cas, quelqu'un a dû les enlever. S'ils avaient été désintégrés, il ne resterait pas trace du disrupteur. Mais, si nos adversaires ne possédaient pas d'arme puissante, je ne comprends pas pourquoi ils n'ont pas emporté celle-ci. Rappelez les autres.

— Qu'allez-vous faire ? s'enquit Picard.

Valak se tourna vers lui.

— Découvrir ce qui se passe là-bas, dit-il en désignant les points lumineux dans le ciel. Porter le combat sur leur terrain. S'ils veulent nous en empêcher, ils devront bien se montrer !

— Il faudra plusieurs jours pour atteindre cet endroit, protesta Picard. Nous n'avons pas assez de temps !

— Dans ce cas, nous mourrons, dit Valak sans la moindre trace d'émotion. Mais je refuse de rester ici, impuissant, pendant qu'ils nous tirent comme des lapins. S'ils veulent la guerre, par les dieux, ils vont l'avoir !

— Pour l'instant, vous n'avez même pas réussi à les voir, souligna Picard. C'est peut-être ainsi que tout a commencé pour l'équipage de l'*Indépendance*. Ils ont d'abord téléporté une équipe d'exploration, puis des interférences ont coupé les communications. Une deuxième équipe est partie à la recherche de la première et a disparu à son tour...

— Pensez-vous que le seigneur Kazanak serait assez stupide pour envoyer une autre équipe alors que les précédentes se sont déjà volatilisées ?

— Vous ne pensiez déjà pas qu'il téléporterait Talar et les autres, lui rappela Picard. Le capitaine de l'*Indépendance* n'était pas un imbécile, pourtant, tout son équipage a disparu sans laisser de trace. Il est resté quatre survivants qui se sont suicidés en tentant de s'échapper à bord d'une navette.

« L'*Indépendance* est en orbite autour d'Hermeticus II depuis trente ans. Trente ans, Valak ! Comment se fait-il qu'il soit toujours là-haut ? S'il y a sur cette arche quelque chose d'assez puissant pour accomplir ce tour de force, qu'est-ce qui vous fait croire que votre vaisseau résistera ?

— Commander, quelqu'un d'autre se téléporte, annonça un des guerriers.

— Quoi ?

Valak fit volte-face et aperçut un autre groupe de Romuliens qui se matérialisaient quelques dizaines de mètres plus loin.

— Que disiez-vous au sujet de Kazanak ? lança Picard.

Valak se dirigea vers la nouvelle équipe.

— Zorak ! Que faites-vous ici ? s'exclama-t-il.

Le Romulien le dévisagea d'un air étonné.

— Mais, commander... C'est vous-même qui nous avez ordonné de vous rejoindre ici.

— Moi ? Etes-vous fou ? Jamais je n'ai fait une telle chose ! Depuis notre arrivée, nous n'avons pu établir de contact avec le *Syrinx* !

Zorak semblait désorienté.

— Mais... Je ne... comprends... pas, commander, balbutia-t-il. Le seigneur Kazanak a reçu un message de vous disant que les interférences avaient disparu et que vous aviez besoin de plus de personnel pour...

— Impossible ! rugit Valak. Je n'ai envoyé aucun message !

158

— Voilà, c'est commencé, dit doucement Picard.

Furieux, Valak pivota vers lui.

— Vous, je vous ai assez entendu pour aujourd'hui !

— Vous m'avez peut-être entendu, mais vous ne m'avez pas écouté. Je vous ai averti qu'il y avait du danger sur cette planète. Vous n'avez pas voulu en tenir compte.

« Si le seigneur Kazanak a reçu un message, nous devons conclure que les interférences n'étaient pas accidentelles. Quelqu'un nous a empêché de communiquer avec le *Syrinx* pour se substituer à nous.

« Qui que ce soit, « quelqu'un » n'a pas peur de vous. Au contraire : il veut que tous vos gens se téléportent ici, et il n'a aucune intention de les laisser repartir.

— Nous verrons bien, grogna Valak, qui ne paraissait plus si sûr de lui. Souvenez-vous, capitaine Picard, que nous sommes tous dans la même galère. Notre destinée sera aussi la vôtre.

— Evidemment, puisque je suis prisonnier. Mais il semble que vous partagiez mon sort, à présent...

Valak leva une main pour frapper le capitaine. A cet instant, un guerrier poussa un cri et tira. Les autres l'imitèrent. Valak dégaina par réflexe, puis ordonna à ses hommes de s'arrêter quand il vit que personne ne ripostait.

— Cessez le feu ! Cessez le feu ! s'époumona-t-il. Sur quoi tiriez-vous ?

— Là-bas, commander, dit le premier guerrier en désignant une zone d'ombre, entre deux bâtiments. J'ai vu quelqu'un qui courait.

— Qui ?

— Je ne sais pas. Une silhouette noire. Elle portait une robe à capuche.

— Enfin, nos ennemis se montrent ! s'écria Valak, satisfait. Zorak, emmenez vos hommes et allez voir. Les autres, vous venez avec moi.

Le groupe se sépara. Valak conduisit ses guerriers vers l'autre côté de la rue, pour qu'ils couvrent leurs camarades au cas où ceux-ci seraient tombés dans un guet-apens. Dès qu'ils furent en position, il activa une fois de plus son communicateur.

— Valak à *Syrinx* !

Pour toute réponse, il n'entendit que des grésillements. Il flanqua une tape à l'appareil et recommença, sans plus de succès.

Il jura entre ses dents.

Le Romulien commençait à perdre le contrôle de lui-même, remarqua Picard. Jusque-là, il avait eu confiance en sa supériorité raciale et en l'infaillibilité de son plan. Séparé de son vaisseau et incapable de communiquer avec son équipage, il se trouvait confronté à l'inconnu.

Sans la puissance d'une machine de guerre derrière lui, Valak était prisonnier d'une situation où il ne pouvait pas faire de plans, ni élaborer de stratégie. Il allait devoir improviser, ne dépendre que de ses propres ressources. Sa jeunesse et son tempérament ne joueraient pas en sa faveur.

Picard s'était souvent trouvé dans des situations où il avait dû improviser. Etre prisonnier d'Hermeticus II ne l'enchantait guère, mais tant qu'il réfléchissait clairement, il resterait toujours des solutions. Il s'était déjà tiré de bourbiers inextricables. Pour Valak, c'était une expérience aussi nouvelle qu'inconfortable.

Soudain, une voix sortit du communicateur de l'officier ennemi.

— Zorak à commander Valak. Me recevez-vous ?

La transmission était à peine audible.

— Zorak, ici Valak. M'entendez-vous ?

— A peine. Mais on dirait que les interférences laissent passer les communications à courte distance.

— C'est déjà quelque chose. Au rapport, ordonna Valak.

A travers les grésillements, il ne parvint à distinguer que quelques mots.

— Zorak, répétez. Je ne vous ai pas bien entendu.

— ... signe de... ici, commander. Ceux qui... ont disparu. Attendez ! Je vois quelque chose qui se... On les...

Le message se termina sur de la friture. Frustré, Valak secoua son communicateur.

— Zorak, répondez ! Zorak !

— Il doit être hors de portée maintenant, dit Picard.

— Mais je ne lui ai pas ordonné de bouger, enragea Valak. ( Il fit signe à ses guerriers. ) Venez !

Les Romuliens s'élancèrent vers l'endroit où Zorak avait conduit son équipe. Ils passèrent le coin d'un bâtiment et descendirent une ruelle. Celle-ci n'étant pas éclairée, ils voyaient tout juste à quelques mètres devant eux.

Valak activa son communicateur.

— Zorak, répondez. Zorak !

Quelques grésillements. Furieux, Valak se remit en route. Un guerrier lui donnant une bourrade dans le dos, Picard fit de même.

Plusieurs centaines de mètres plus loin, la ruelle déboucha sur une avenue parallèle à celle dont ils venaient. Il n'y avait aucun signe de Zorak et de ses hommes.

— Zorak ! hurla Valak. Zorak !

Pas de réponse. La douce lueur des statues éclairait les environs immédiats, mais pas davantage. Zorak et son équipe avaient disparu comme les autres avant eux.

— Ça nous fait un total de combien : à peu près trente, non ? susurra Picard.

Valak fit volte-face, le saisit par le col de sa tunique et le plaqua contre un mur.

— Soyez maudit ! gronda-t-il.

Picard se dégagea et repoussa le Romulien.

— Enlevez vos sales pattes de moi !

Valak trébucha et tomba en arrière. Aussitôt, ses hommes pointèrent leur arme sur Picard.

— Non ! s'écria Valak, les yeux fous. Si quelqu'un doit le tuer, ce sera moi !

— Et moi qui croyais que vous vouliez me ramener sur Romulus pour m'exposer comme un phénomène de foire !

Intérieurement, Jean-Luc poussa un soupir de soulagement.

— Ne surestimez pas la valeur que vous avez pour moi ! aboya Valak. Je pourrais me passer de vous. Vous commencez à me porter sur les nerfs.

— Seulement parce que vous laissez vos émotions obscurcir votre jugement. Vous ne réfléchissez plus, Valak : vous vous contentez de réagir à l'aveuglette. Je vous pensais meilleur officier que ça.

— Je n'ai pas besoin de votre admiration !

— Que vous le vouliez ou non, nos destinées sont liées. Mes gens aussi ont disparu. A moins que nous ne parvenions à surmonter nos différences, nous connaîtrons le même sort qu'eux.

Valak dévisagea Picard, puis il lâcha :

— Très bien. Je vous écoute.

Ces quelques mots lui coûtaient visiblement beaucoup.

— La force brute ne nous mènera nulle part. Vos guerriers sont armés de disrupteurs, et ça ne les a pas empêchés de disparaître. Ce qu'ils ont vu était un appât destiné à les faire tomber dans une sorte de piège, expliqua Picard. Je pense qu'il est arrivé la même chose à la première équipe.

— Diviser pour mieux régner, murmura Valak.

— Exactement. Nous sommes surveillés depuis le début, et les habitants de ce vaisseau auraient pu nous attaquer à tout moment.

— Mais ils ne l'ont pas fait, ce qui signifie qu'ils n'en ont pas la force.

— Peut-être. Cette arche a été conçue pour un équipage de plusieurs dizaines de milliers de personnes, pourtant elle semble presque déserte. Si nous avons affaire aux habitants originels, leur nombre a dû considérablement décroître au fil des ans.

— Mais pour ce que nous en savons, il s'agit peut-être des survivants de l'*Indépendance*, objecta Valak.

— Trente ans se sont écoulés depuis leur disparition. Les survivants, s'il en reste, doivent avoir soixante ou soixante-dix ans.

— Bah ! Les humains se reproduisent aussi, non ?

— Ils ont pu le faire, concéda Picard. S'ils sont humains, j'ai moins à craindre d'eux que de vous. Tout de même, pourquoi auraient-ils volontairement saboté leur vaisseau et choisi de rester sur Hermeticus II ?

« Vous comprenez maintenant qu'il ne peut pas y avoir ici de base de la Fédération. Sinon, ses occupants n'auraient pas laissé l'*Indépendance* en orbite autour de l'arche. Je crois plutôt qu'ils l'ont abandonné là en guise d'avertissement.

— Pour avertir qui, et de quoi ?

— Contre ce qui a poussé la Fédération à mettre Hermeticus II en quarantaine. Je pense notamment à une forme de vie trop dangereuse pour nous, ou à une maladie contre laquelle il n'existait pas de remède à l'époque. Dans les deux cas, ça expliquerait la disparition de l'équipage originel de cette arche.

— Pourtant, il reste quelqu'un de vivant à bord, insista Valak.

— Il se peut que certains individus aient survécu et développé une immunité naturelle. Vous connaissez le concept de porteurs sains. Ou la forme de vie a pu tuer tout le monde, mais trouver un moyen de subsister à bord.

— Ce ne sont que des suppositions. Ça ne résout pas notre problème !

— Avant de résoudre un problème, il faut le poser en termes précis. Nous ne savons pas grand-chose de la force que nous affrontons.

« Sinon qu'elle possède assez d'intelligence pour utiliser la technologie qui maintient l'*Indépendance* en orbite, pour brouiller nos communications et pour se faire passer pour nous. Qui l'empêche de faire téléporter ici le reste de votre équipage ?

Valak grimaça.

— Le seigneur Kazanak est avide de découvrir quelque chose qui donnera un avantage décisif à l'Empire Romulien, avoua-t-il. Il sera ravi d'envoyer des gens explorer l'arche.

« Je ne vois pas en quoi cela peut jouer contre nous : plus nous serons nombreux, plus l'ennemi aura du mal à venir à bout de nos troupes. Il n'est pas dans les habitudes des Romuliens d'éviter les conflits.

— D'accord, mais il vaudrait mieux que vos guerriers sachent à quoi s'en tenir en débarquant ici.

— Je vais poster quelques hommes aux coordonnées d'arrivée pour les prévenir.

— Comment savez-vous s'ils ne disparaîtront pas à leur tour, ou si les prochaines équipes se téléporteront au même endroit ? La personne qui envoie les messages en votre nom peut fournir de nouvelles coordonnées pour diviser vos forces.

Valak poussa un gros soupir.

— Vous avez sans doute raison, admit-il à contrecœur. Que suggérez-vous ?

Stupéfaits, les autres Romuliens regardèrent leur commander demander conseil à un officier de la Fédération. Ça ne s'était encore jamais produit à leur connaissance, et ils n'aimaient pas ça du tout. Mais, trente hommes avaient disparu depuis leur arrivée sur Hermeticus II, et Valak n'avait rien pu y faire.

Les soldats savaient qu'ils pouvaient être les prochains sur la liste. L'homme qui les dirigeait semblait complètement perdu, tandis que Picard avait conservé tout son calme. Bref, ils commençaient à comprendre l'essentiel : pour s'en tirer vivants, ils devaient coopérer.

— Nous devons évaluer logiquement la situation. Une partie de vos hommes a disparu. Néanmoins, personne ne nous a encore attaqués ni canardés. Quelle conclusion en tirez-vous ? demanda Picard.

— Soit nos adversaires possèdent des armes silencieuses, soit ils n'en utilisent pas contre nous, répondit Valak.

Picard hocha la tête.

— En résumé, ou leurs armes nous sont inconnues, ou ils n'en ont pas. Par ailleurs, nous n'avons découvert aucun cadavre. Si vos hommes ont été tués, quelqu'un a fait disparaître leurs corps. Pourquoi ? Cela dit, il se peut qu'ils soient toujours vivants.

— Aucun guerrier romulien ne se laisserait prendre vivant, protesta Valak.

— Oubliez un peu votre orgueil ! s'écria Picard, exaspéré. N'importe qui peut être fait prisonnier. Tout est une question de circonstances, comme vous l'avez démontré en vous emparant de mon vaisseau.

— Très bien, capitula Valak. Mais pourquoi voudrait-on nous capturer vivants ?

— Nous avons peut-être affaire à une espèce pacifique. Souvenez-vous que c'est nous qui constituons une menace pour eux non l'inverse. Nous avons envahi leur domaine. Peut-être cherchent-ils seulement à se protéger.

— Et si nous déposons les armes, ils sortiront de leur cachette pour nous accueillir à bras ouverts ? railla Valak, méprisant. J'attendais mieux de votre part.

— Je n'ai pas dit que nous devrions nous rendre, mais ne croyez-vous pas que nous pourrions négocier ?

— Je ne suis pas venu ici pour ça. Quels que soient nos adversaires, survivants de l'*Indépendance* ou équipage originel de l'arche, j'ai l'intention de les débusquer et de régler la question une fois pour toutes.

— Vous n'aurez sans doute pas longtemps à attendre. Regardez !

Picard tendit le doigt vers les lumières, de l'autre côté de l'arche. Les lueurs se rapprochaient peu à peu...

# CHAPITRE X

En franchissant l'arche, Ro sentit un bref picotement. Puis elle déboucha dans une autre partie du vaisseau creux. Troi, Data et Crusher l'y attendaient en compagnie de Llewellyn. Quelques secondes plus tard, Vishinski, Jamal, Nordqvist et Nakamura se matérialisèrent derrière elle.

— Vous voyez ? dit Vishinski en souriant. Il n'y avait pas de quoi s'inquiéter.

Ro remarqua que seuls les anciens — ceux qui occupaient autrefois la passerelle de l'*Indépendance* — les avaient accompagnés, les plus jeunes demeurant en arrière.

Elle regarda autour d'elle. Ils se trouvaient dans un vaste couloir semblable à celui qu'ils venaient de quitter. Une dizaine de mètres plus loin, on apercevait l'extérieur du bâtiment par une ouverture.

— Par ici, dit Llewellyn.

Ro, Data, Troi et Crusher lui emboîtèrent le pas. Ils passèrent devant l'ouverture, qui n'était pas une porte mais un balcon situé à plusieurs étages de hauteur. Malgré l'obscurité, Ro distingua des points lumineux de l'autre côté de l'arche.

— Nous venons de traverser le vaisseau, expliqua Llewellyn. ( Il tendit le doigt vers les lumières, qui se déplaçaient lentement. ) Là-bas, ce sont vos amis romuliens.

Data inclina la tête.

— Pardonnez-moi, commander, mais les Romuliens ne sont pas nos amis.

Le vieil homme sourit.

— C'était une remarque ironique, monsieur Data.

— Ah. Je vois. L'usage de mots positifs pour exprimer leur contraire dans un but humoristique, dit l'androïde.

— Euh... C'est à peu près ça.

— Et ça, ce sont aussi des Romuliens ? demanda Troi en désignant les longues files de points lumineux qui se déployaient de chaque côté du bâtiment.

A cause de l'illusion créée par la surface incurvée de l'arche, ces lueurs semblaient se déplacer dans le ciel telles des lucioles.

— Ce n'est qu'une diversion, rien de plus, répondit Llewellyn, mystérieux. L'aube est pour bientôt. Du moins, ce que nous appelons ainsi, même si aucun soleil ne se lève jamais sur l'arche. Par ici...

Le vieil homme s'engagea dans un couloir et s'arrêta devant une section de mur dépourvue d'ouverture.

— Nous vous avons préparé des chambres, annonça-t-il. J'espère que vous les trouverez à votre goût.

Le mur ondula et forma une porte assez large pour laisser passer une personne à la fois. Llewellyn fit signe aux officiers d'entrer. Alors que ceux-ci hésitaient, il leur sourit.

— Très bien. Je vais vous précéder.

Il entra le premier ; Data, Troi, Crusher et Ro le suivirent, puis le reste du groupe. Ils débouchèrent dans une salle quatre ou cinq fois plus grande que les quartiers des officiers de l'*Entreprise*, et aussi luxueuse qu'un hôtel cinq étoiles.

Le sol était tiède et lisse. L'ameublement comptait un divan de cuir noir en forme de fer à cheval, une table basse en acajou, des fauteuils inclinables, des guéridons garnis de lampes en céramique et même un petit bar.

Une fenêtre se découpait dans le mur du fond. Troi et Crusher s'en approchèrent pour regarder dehors.

— Il n'y a pas de vitres, dit Vishinski derrière elles, mais vous comprendrez vite pourquoi. Ici, la température est toujours de vingt-deux degrés. Il n'y a jamais de vent ni de pluie, et les moustiques sont inconnus.

— Vous trouverez un synthétiseur de nourriture derrière le bar, ajouta Llewellyn. Il fonctionne comme ceux des vaisseaux stellaires de la Fédération d'il y a trente ans. Vous verrez, la cuisine est excellente.

« Ce petit couloir mène à des chambres séparées munies de portes qui fonctionnent normalement, comme vous serez ravis de le découvrir.

— En parlant de portes, commander, intervint Data, j'ai remarqué que tous les murs de ce bâtiment sont blancs et uniformes. On n'y trouve aucune indication. Même en supposant que la nanotechnologie vous permette de créer des ouvertures mouvantes, comment faites-vous pour les localiser ?

— Ça n'a pas toujours été évident, concéda Llewellyn. Comment vous expliquer ? Les aveugles arrivent à se déplacer sans peine dans leur propre maison. Au début, ils mémorisent l'emplacement des choses, puis ça devient un automatisme.

— A notre arrivée, ajouta Nordqvist, nous avons découvert qu'en agissant sur les senseurs télépathiques nous pouvions apposer des marques sur celles-ci. Nous nous sommes amusés à semer des motifs un peu partout.

— Nous n'avons pas pu changer la couleur des murs, sourit Nakamura, mais nous avons écrit nos noms en relief à l'entrée de nos quartiers, et imaginé une multitude de frises agréables à l'œil.

« Quand nous avons cessé d'avoir besoin de ces repères, nous les avons presque tous effacés, ne conservant que les plus significatifs. Par exemple, un dragon en relief orne l'entrée de mes appartements, au niveau inférieur.

— Si vous voulez vous reposer, nous pouvons vous laisser et revenir plus tard, suggéra Llewellyn.

— Nous reposer ? s'exclama Beverly. Je ne crois pas que je pourrais fermer l'œil ! J'ai un millier de questions à vous poser, et je ne sais pas par où commencer !

Le vieil homme sourit.

— C'est parfaitement compréhensible. Asseyez-vous, je vous prie. Ski, sers des rafraîchissements à nos invités.

— Avec plaisir, dit le médecin en se dirigeant vers le bar. Que prendrez-vous ?

— Une tasse de café, si vous en avez, répondit Crusher.

— Allongé ? Expresso ? Avec ou sans crème ? Nous avons aussi du cappuccino, de l'Irish Coffee...

— Juste un expresso sans sucre, merci.

— Conseiller Troi ?

— J'adorerais une tasse de thé.

— Ceylan, chinois, au jasmin, à l'orange, aux herbes... La seule limite est celle de votre imagination.

— Une tasse de thé au jasmin sera parfait. Merci.

— Monsieur Data ?

— Je n'ai pas besoin de boire.

— Bien sûr. Où avais-je la tête ? Enseigne Ro, que prendrez-vous ?

— Quelque chose de fort.

— Un brandy bajoran ?

La jeune femme eut l'air surpris.

— Ce serait merveilleux.

— Je vous le prépare tout de suite.

Les compagnons prirent place sur le sofa, pendant que Llewellyn et Nordqvist s'asseyaient dans les fauteuils. Vishinski revint avec les boissons, très bonnes au demeurant. Méfiante, Ro trempa à peine ses lèvres dans le brandy, pourtant bien meilleur que tous ceux qu'elle avait goûtés jusque-là.

— Commençons par le commencement, suggéra Lle-wellyn. Il y a une trentaine d'années, nous effectuions une patrouille de routine lorsque nos senseurs détectèrent des signaux inhabituels en provenance de ce secteur.

« Nous découvrîmes qu'ils émanaient de la Zone Neutre et décidâmes d'enquêter. C'était un risque calculé : nous pensions que les Romuliens étaient impliqués. Car, il n'était pas censé y avoir quelque chose dans la Zone Neutre.

« Nous découvrîmes une petite planète que nos cartes ne mentionnaient pas. Nos senseurs n'indiquant la présence d'aucun vaisseau dans les parages, nous nous approchâmes et nous mîmes en orbite.

« A ce moment, nos appareils commencèrent à dérailler. Incapables d'obtenir des résultats cohérents, nous envoyâmes plusieurs sondes à la surface de la planète, et apprîmes avec stupéfaction que celle-ci était creuse.

« Nous conclûmes vite qu'il s'agissait d'un monde arti-ficiel : une arche interstellaire créée pour des voyages multigénérations. Très excités par cette découverte, nous tentâmes d'entrer en contact avec ses occupants.

« Personne ne nous répondit. Nos sondes indiquaient que l'atmosphère de l'arche était respirable. En revanche, nous ne détections aucune forme de vie à bord. Nous décidâmes d'envoyer une équipe d'exploration.

— Commander, sans vouloir me montrer impolie, nous avions déjà deviné tout ça, intervint Ro. Vous ne semblez guère vous soucier de la menace représentée par les Romuliens. S'ils se téléportent ici...

— Ne vous inquiétez pas, enseigne, je vous assure que nous maîtrisons la situation, dit Llewellyn.

— Commander, insista la jeune femme, je ne suis pas certaine que vous compreniez sa gravité. Les Romuliens ont placé un Oiseau de Proie très perfectionné en orbite autour de votre arche, un vaisseau plus grand et plus puis-sant que ceux de la Fédération. Et ils se sont emparés de l'*Entreprise*. Ça leur donne assez de puissance de feu pour tous nous faire sauter !

— J'apprécie votre sollicitude, enseigne, mais je vous répète que les Romuliens ne sont pas une menace sérieuse. En fait, nous en avons déjà capturé et emprisonné bon nombre, et nous allons sans tarder nous occuper de leur Oiseau de Proie.

— Que voulez-vous dire ? s'enquit Troi, les sourcils froncés.

— Un peu de patience, Conseiller. Avant que nous en arrivions là, il y a certaines choses que vous devez comprendre. Si vous voulez bien écouter la suite de mon récit...

Les compagnons hochèrent la tête.

— La première équipe d'exploration était composée des lieutenants Nakamura et Jamal, du docteur Vishinski et de trois de nos camarades qui ne sont hélas plus de ce monde. Je la dirigeai moi-même. Nous nous téléportâmes tout près d'ici, et découvrîmes la même chose que vous.

« Nos tricordeurs ne détectèrent aucun signe de vie. L'arche semblait déserte, mais ses systèmes de survie marchaient encore. Nos appareils refusaient de fonctionner, pourtant nous arrivions à communiquer avec notre vaisseau. Nous commençâmes à explorer l'arche.

« Il faisait jour quand nous arrivâmes. Nous passâmes l'essentiel de la journée à errer dans les rues, sans pouvoir entrer dans les bâtiments faute de portes. A nos yeux, les structures n'étaient que des cubes empilés les uns sur les autres. Nous pensions qu'elles devaient servir à quelque chose, mais sans voir comment y pénétrer.

— Il semblait évident que cette arche avait été construite par une civilisation bien plus avancée que la nôtre, ajouta Nakamura.

— Quand nous fûmes à peu près certains d'être seuls à bord, nous téléportâmes d'autres équipes, reprit Llewellyn. Nous décidâmes d'explorer toute l'arche et d'en apprendre un maximum à son sujet.

« Notre capitaine prépara un rapport pour Starfleet. A ma connaissance, il n'atteignit jamais sa destination. Après qu'une bonne partie de l'équipage nous eut rejoints, les problèmes commencèrent.

— Des équipes disparurent sans laisser de traces, expliqua le lieutenant Jamal. Puis nous perdîmes tout contact avec l'*Indépendance*.

— Il nous est arrivé exactement la même chose, approuva le docteur Crusher.

— Je sais, dit Llewellyn. Au début, nous pensâmes que les fluctuations d'énergie étaient responsables des interférences, mais nous comprîmes bientôt que quelqu'un brouillait nos canaux à dessein.

« Nous crûmes d'abord que l'arche possédait un système de défense automatisé, et nous nous mîmes en quête d'une station de contrôle... que nous ne trouvâmes jamais, puisque nous ne pouvions pénétrer dans aucun bâtiment.

— Nous savions que certains de nos hommes avaient réussi, hélas, c'étaient ceux avec qui nous avions perdu contact, expliqua Nakamura. En voyant un mur se refermer pour la première fois, nous comprîmes ce qui leur était arrivé.

— Nous tentâmes d'utiliser nos fuseurs pour découper une ouverture, mais nos tirs ne firent aucun dommage au mur. Nous réalisâmes alors qu'il se réparait, si vite que nous ne pouvions rien voir.

— Avez-vous finalement découvert ce qui bloquait vos communications ? s'enquit Data.

— Oui. L'équipage originel — du moins, ses descendants — se trouvait toujours à bord, annonça calmement Llewellyn.

Crusher sursauta.

— Et il y est encore ? demanda-t-elle, très excitée.

— Absolument.

— Où ? s'exclama Troi.

Le vieil homme sourit.

— Tout autour de nous. Je ne sais pas exactement combien ils sont, mais j'estime leur nombre à environ trente mille individus.

— Trente mille ? répéta Ro, le souffle coupé.

— Sans eux, nous n'aurions jamais survécu, dit gravement Llewellyn. Ce sont eux qui ont pris soin de nous et qui nous ont aidés à fonder une colonie. Heureusement qu'ils étaient là, car nous ne pourrons jamais repartir.

*
* *

Derrière La Forge, Riker rampait dans l'étroit conduit. Il n'était pas très râblé, mais il avait tout de même les épaules plus larges que son compagnon. Aussi souffrait-il davantage.

— On est bientôt arrivés, commander, annonça La Forge.

— Faites-moi penser... à me mettre... au régime, haleta Riker en progressant de trente centimètres.

Will devait vider ses poumons chaque fois qu'il avançait. Il avait l'impression de répéter la manœuvre depuis toujours, et il se demandait quand le conduit déboucherait enfin sur un tube de Jeffries.

— Allons, vous y êtes presque, l'encouragea La Forge.

— Je ne sais pas... si je vais... y arriver, grogna Riker.

Il commençait à avoir des pulsions claustrophobiques. L'étroit passage n'ayant pas été conçu pour la circulation des humains, il arrivait à peine à remuer.

Il leva légèrement la tête, tendit les bras devant lui et poussa simultanément sur ses coudes et sur ses genoux. Sa progression était aussi lente que douloureuse...

— Plus que deux mètres.

Riker sentit sa tunique se déchirer, et sa peau éclater au contact du métal. Il jura entre ses dents. Geordi et lui essayaient d'être silencieux, mais ils avaient l'impression de faire assez de bruit pour réveiller tout le vaisseau.

La Forge l'aida à s'extraire du conduit et à passer dans un des conduits de maintenance. Riker prit une longue inspiration, et ferma les yeux en expirant.

— Après ça, le reste de la mission ressemblera à du pipi de chat, soupira-t-il.

— J'aimerais en être certain. Savez-vous depuis combien de temps je n'ai pas marché dans l'espace ? rétorqua La Forge.

— Moins de temps qu'il nous en a fallu pour traverser ce fichu conduit ! grommela Riker.

Il regarda autour de lui. Le tube de Jeffries n'était pas assez haut pour qu'il puisse s'y tenir droit, mais c'était un immense progrès par rapport au conduit de ventilation.

— Dire que je détestais venir ici ! Je m'y sentais trop à l'étroit. Maintenant, je trouve ça merveilleusement spacieux.

— Nous pouvons suivre ce tube jusqu'au pont treize et sortir dans le hangar aux navettes numéro deux, suggéra La Forge.

— Comment le reste de votre équipe arrivera-t-il jusque-là ?

— Par le même moyen que nous.

— J'espère que vous avez choisi des types pas trop gras.

— On n'a pas le temps de faire du lard à l'ingénierie. Nous on travaille tout le temps. Pas comme les gars qui se la coulent douce dans leurs fauteuils.

— C'est vrai qu'on passe tout notre temps à jouer aux Envahisseurs sur l'ordinateur de bord ! lança Riker. Allez, assez de bêtises. En route !

La Forge s'engagea le premier dans le tube.

— Commander.... A supposer que nous arrivions jusque-là, que ferons-nous si nous ne découvrons pas d'armes à bord de l'*Indépendance* ?

— Priez pour ça ne soit pas le cas. Sinon, il faudra piller l'équipement restant pour récupérer des pièces, et vous aurez une chance de me montrer combien vous êtes doué pour fabriquer des armes à partir de rien.

— C'est ce que je craignais, soupira La Forge.

Les deux officiers se faufilèrent dans le labyrinthe de conduits, puis descendirent une échelle d'acier conduisant aux niveaux inférieurs.

— Ça fait longtemps que je ne suis pas venu ici... Je me demande si je suis encore capable de trouver mon chemin, dit Riker en fronçant les sourcils.

— Si vous apercevez un gros lapin blanc avec une montre à gousset, c'est que vous vous êtes trompé quelque part, gloussa La Forge.

Soudain, Will se tendit.

— J'entends quelque chose, souffla-t-il.

La Forge s'immobilisa. Les deux hommes tendirent l'oreille. Un bruit métallique résonnait au loin, étouffé par la distance.

— Qu'est-ce que c'est ? chuchota Riker.

— Des souris ? suggéra La Forge avec un pâle sourire.

— Croyez-vous que les Romuliens nous aient entendus ?

— Je ne pense pas, mais c'est possible.

— Valak connaît l'existence des tubes de Jeffries. S'il a envoyé des hommes derrière nous, nous sommes cuits.

Le bruit se rapprocha.

— Ça vient d'au-dessous, dit La Forge.

— Nous n'avons pas beaucoup de place pour manœuvrer, et nous sommes désarmés, constata Riker.

— Ouais. Je me disais que ça pouvait devenir intéressant...

Quelques secondes plus tard, une tête émergea d'un sas juste sous leurs pieds.

— Commander Riker ?

Les deux officiers poussèrent un soupir de soulagement. C'était un des ingénieurs de La Forge.

— Lewis ! s'exclama Geordi en secouant la tête. Tu nous as foutu une de ces trouilles !

— Désolé, monsieur. J'ai entendu du bruit et j'ai pensé que ça devait être vous.

— Des problèmes pour venir jusqu'ici ? s'enquit Riker.

— J'étais un peu à l'étroit dans le conduit de ventilation, et je crains d'y avoir laissé pas mal d'épiderme... Sinon, ça va. Je suis à peu près certain que les gardes ne m'ont pas entendu. Ils ne remarqueront pas mon absence avant la prochaine relève.

— Ce n'est pas une raison pour perdre du temps, déclara Riker.

Ils se remirent à descendre vers le pont treize. Quand ils l'atteignirent, plusieurs autres ingénieurs les avaient rejoints. La Forge colla son oreille contre le panneau d'accès et écouta attentivement, puis le déverrouilla avec précaution.

— Tout va bien, dit-il. On continue.

Ils pénétrèrent dans le hangar aux navettes ; La Forge recompta rapidement ses hommes. Avec Riker et lui, ils étaient huit.

— Il manque Roger et Chan...

— Ils ne vont pas tarder, dit Lewis. Ils ont dû perdre du temps dans ces foutus conduits.

— Nous ne pouvons pas les attendre plus de quelques minutes, annonça Riker. Profitons-en pour nous équiper.

Ils traversèrent le hangar obscur et se dirigèrent vers les vestiaires alignés contre le mur du fond. Ils étaient en train d'enfiler leurs combinaisons quand Roger et Chan arrivèrent à trente secondes d'intervalle.

— Désolée d'être en retard, dit Chan, essoufflée, en rejoignant le reste du groupe. J'ai eu des problèmes pour dévisser la grille d'accès, dans ma cabine.

La Forge lui tendit une combinaison.

— Ce n'est pas grave. L'essentiel, c'est que vous soyez là.

La jeune femme enfila rapidement sa tenue. Puis les autres l'aidèrent à fixer une batterie EVA sur son dos. Pendant ce temps, La Forge, Roger et Lewis s'étaient emparés de trousses à outils.

— Paré ! dit Riker avant de mettre son casque. A partir de maintenant, je ne veux plus entendre le moindre bruit. Nous observerons un silence radio complet.

« Il est hors de question que les Romuliens de la passerelle captent des communications qui ne sont pas censées avoir lieu. Si vous avez besoin de dire quelque chose, utilisez le langage des signes.

Les autres hochèrent la tête.

— Bien. Ne quittez jamais vos voisins des yeux. Quelqu'un a-t-il une question ? Non ? Alors, on y va. Geordi, n'oubliez pas de désactiver le voyant d'alerte.

— Compris.

Ils enfilèrent leur casque puis se dirigèrent vers le sas de sortie. La Forge s'occupa des commandes du sas avec l'aide de Lewis.

Les dix compagnons se massèrent entre les deux doubles portes. La Forge ferma manuellement celles qui étanchéifiaient le hangar, puis ouvrit les autres. Riker prit une profonde inspiration. *C'est parti,* songea-t-il. Il avança un pied et commença à marcher dans l'espace.

Alors qu'il s'éloignait du vaisseau en dérivant, il utilisa ses mini-réacteurs EVA pour modifier sa trajectoire. La Forge venait juste derrière ; il leva un pouce pour indiquer que tout allait bien.

Les autres suivirent par paires et prirent la direction de l'*Indépendance*. L'*Entreprise* était en orbite assez près pour que ses téléporteurs fonctionnent en mode « courte portée », mais ça faisait quand même une trotte « à pied ».

Riker ne se souvenait plus de la dernière fois où il avait marché dans l'espace. Ça remontait à l'époque où il était encore une jeune enseigne. Plus personne n'effectuait ce genre de manœuvre, à part les ouvriers dans les spatio-ports.

*On devrait quand même s'entraîner plus souvent avec ces combinaisons,* songea Riker. D'une certaine façon, c'était comme le vélo : ça ne s'oubliait pas, mais ça n'empêchait pas une nervosité compréhensible.

A bien y réfléchir, il n'était pas non plus monté à bicyclette depuis des années. Il y avait tant de choses qu'il ne prenait plus la peine de faire, parce qu'elles ne lui semblaient pas importantes... Jusqu'au moment où il réalisait qu'il n'aurait peut-être plus jamais l'occasion de les faire.

Par bonheur, la passerelle de l'*Entreprise* tournait le dos à l'*Indépendance*. La soucoupe s'interposait entre eux et l'Oiseau de Proie, dont les occupants ne pourraient pas les voir.

Il leur restait à croiser les doigts en priant pour qu'aucun Romulien n'ait l'envie subite d'admirer l'espace par les hublots de bâbord. A cette heure, la plupart devaient dormir ou monter la garde là où ils avaient séquestré le reste de l'équipage.

*On va peut-être s'en sortir,* songea Riker. Il espéra que leurs ennemis n'avaient pas vidé l'armurerie de l'*Indépendance*. Même si c'était le cas, beaucoup d'officiers tactiques cachaient à bord quelques caisses de fuseurs en cas de mutinerie ou d'événement imprévu. Il leur suffirait de les localiser.

Riker jeta un coup d'œil par-dessus son épaule. Les autres avançaient en file indienne derrière lui. Il aurait voulu leur parler, mais n'osait enfreindre sa propre consigne. C'eût été le meilleur moyen de trahir leur présence.

Ils se trouvaient à mi-chemin de l'*Indépendance*. *Jusqu'ici, tout va bien,* songea Will. S'ils pouvaient pénétrer dans le vaisseau sans attirer l'attention... Même ainsi, il n'était pas dit que leur mission serait couronnée de succès. Une dizaine d'hommes armés de fuseurs n'avaient guère de chances contre un équipage...

178

Mais la moitié des Romuliens se trouvaient encore à bord du *Syrinx*, et d'autres avaient été téléportés sur l'arche. Les probabilités ne penchaient toujours pas en leur faveur. Elles étaient quand même moins effrayantes, à condition d'agir très vite et d'exploiter à fond l'élément de surprise.

Quoi qu'il arrive, ils devraient être de retour sur l'*Entreprise* avant la relève de la garde. Si les Romuliens s'apercevaient de leur disparition, ils donneraient l'alerte, et c'en serait fini de leur tentative de rébellion.

Même s'ils réussissaient à libérer et armer leurs camarades, puis à maîtriser les Romuliens, il resterait le problème du *Syrinx* et des otages, sans parler du capitaine, de Deanna, de Ro, de Troi et de Data, qui se trouvaient toujours sur l'arche.

Riker relégua cette idée dans un coin de son esprit. Il devait se concentrer sur un seul problème à la fois : trop de choses pouvaient mal tourner.

Un élément, cependant, jouait en leur faveur. En l'absence de Valak, Korak avait pris le commandement des Romuliens sous l'autorité du seigneur Kazanak. Bien que Riker ne l'ait jamais vu, il se doutait que Kazanak devait être un bureaucrate plutôt qu'un militaire.

Les nobles romuliens ne commandaient pas les vaisseaux stellaires : ils devenaient gouverneurs ou entraient au Haut Conseil. Autrement dit, Korak dirigeait l'opération, et il était loin de valoir son commander, même s'il cognait dur.

Will était couvert de coupures et d'ecchymoses récoltées lors de leur combat, et ramper dans un conduit de ventilation ne l'avait pas arrangé. Ce salaud de Romulien avait les poings comme des marteaux et un compte à régler avec lui. La revanche aurait-elle lieu selon ses conditions, ou celles de Riker ?

Will fit donner une dernière poussée à ses mini-réacteurs et vint s'échouer contre le flanc de l'*Indépendance*.

La Forge le rejoignit quelques secondes plus tard. Les autres suivirent.

Ils se trouvaient au-dessous des nacelles de distorsion, qui les dissimulaient aux regards de leurs ennemis. Si ceux-ci avaient eu le temps de les apercevoir pendant le trajet, ils le sauraient très bientôt : une ou deux torpilles à photons bien placées mettraient un terme définitif à tous leurs problèmes.

Les officiers se dirigèrent lentement vers les portes du hangar aux navettes, qu'ils devaient faire sauter. Riker fit signe à La Forge de commencer l'opération. Lewis et Roger s'approchèrent de leur supérieur pour l'aider ; ils ouvrirent le petit panneau d'accès, puis placèrent les explosifs.

La Forge se tourna vers les autres et leur fit signe de s'éloigner. Lui-même devait rester pour actionner l'interrupteur. Il aurait pu utiliser un minuteur, mais les Romuliens le gardaient à l'œil, et il n'avait pu en récupérer un sur l'*Entreprise*.

Riker ne vit pas son vieil ami grimacer, pourtant il imagina aisément ce qu'il devait ressentir dans sa combinaison. Geordi actionna l'interrupteur. Il n'y eut pas le moindre son, mais Riker vit les verrous se détacher du sas et filer à grande vitesse dans l'espace. La porte extérieure s'entrouvrit.

Pendant que les autres se rapprochaient, La Forge leva une main, écartant le pouce et l'index de quelques centimètres pour montrer combien les verrous étaient passés près de lui. Riker poussa un soupir de soulagement. Si la combinaison de l'ingénieur avait été déchirée, il serait mort aussitôt.

Quelques instants plus tard, les dix officiers pénétrèrent à bord de l'*Indépendance*. Ils ne pouvaient ôter leur combinaison et devaient maintenir le silence radio : les systèmes biologiques du vaisseau ne fonctionnaient pas, et La Forge n'avait pu modifier la fréquence du communicateur intégré à leur casque. Le temps pressait trop.

Il leur restait à chercher l'armurerie de l'*Indépendance* et à espérer y découvrir quelques fuseurs. Puis ils devraient retourner à bord de l'*Entreprise*, remonter sans se faire voir et libérer leurs camarades avant que les Romuliens puissent alerter le *Syrinx*.

*Facile,* songea Riker. *Les doigts dans le nez.*

# CHAPITRE XI

Les Romuliens attendaient, cachés derrière les bâtiments blancs ou accroupis près des statues-lampadaires. Valak les avait séparés en petits groupes, pour qu'ils maintiennent le contact visuel les uns avec les autres mais puissent couvrir tout le terrain alentour.

Pour l'heure, ils regardaient approcher les lumières : une douzaine de lignes brillantes qui venaient vers eux, pareilles à des processions aux flambeaux. Elles se rapprochaient à une vitesse étonnante.

— Il doit y avoir des centaines d'hommes, dit Picard.

— Nous les attendons de pied ferme, répliqua Valak, sinistre.

— Ne faites pas l'imbécile : ils ont l'avantage du nombre.

— Un guerrier romulien ne recule pas devant les probabilités. Auriez-vous peur ?

— J'ai peur pour mon vaisseau et pour mon équipage depuis l'instant où vous nous avez faits prisonniers. Votre arrogance et votre foutue agressivité romuliennes vont nous faire tuer.

— Je ne crains pas la mort.

— Moi non plus, si je dois mourir pour une bonne cause. Mais ici, ça ne servirait à rien. Les habitants de l'arche ne font que se défendre contre des envahisseurs : nous. Honnêtement, je ne peux pas les en blâmer.

Valak regardait approcher les lumières sans réussir à cacher son anxiété.

*Il est jeune et indéniablement brillant,* songea Picard, *mais on ne l'a encore jamais mis à l'épreuve. La puissance de la machine romulienne lui a facilité la vie jusque-là. C'est la première fois qu'il est vraiment sous pression, confronté à un phénomène qui échappe à son contrôle.*

Plus de la moitié des Romuliens qui s'étaient téléportés à bord de l'arche avaient disparu, et ceux qui restaient n'avaient plus confiance en Valak. Ils lui jetaient des coups d'œil nerveux, attendant ses ordres. Hélas, leur commander ne savait que faire. Acculé, il se préparait à vendre chèrement sa peau et refusait de considérer une autre option.

— Ce que nous ferons n'a plus d'importance, lâcha Valak, fataliste. En ne nous voyant pas revenir, le seigneur Kazanak réalisera que ma mission a échoué, et il ordonnera la destruction de l'arche. De toute façon, nous mourrons ici.

— Dans ce cas, pourquoi ne pas négocier ? Qu'avez-vous à perdre ? demanda Picard.

Valak lui jeta un regard intrigué.

— J'ai toujours cherché à comprendre les humains, en particulier les grands officiers de Starfleet, parce que je croyais qu'ils avaient beaucoup à nous apprendre. Je m'étais trompé. Vous ne pouvez rien m'enseigner, et je n'arriverai jamais à vous comprendre.

« Je pensais que vous me résisteriez jusqu'à votre dernier souffle. En somme, que vous seriez un adversaire à ma mesure. Vous m'avez déçu : je vous ai brisé si facilement...

— Vous avez raison sur un point. Malgré vos années d'étude, vous n'avez pas réussi à nous comprendre, dit calmement Picard. Quand il le faut, les humains n'hésitent pas à se battre et ce sont de redoutables adversaires. Mais nous avons découvert que la violence est l'option la moins désirable, et nous ne l'employons qu'en dernier recours.

« En vous emparant de mon vaisseau, vous m'avez piégé, mais sans jamais me pousser jusqu'au point où je n'avais pas d'autre choix que me battre ou mourir.

— Parce que je voulais vous prendre vivant.

— Tant qu'il existera une possibilité, même minime, que nous puissions résoudre notre différend sans nous détruire l'un l'autre, je serai déterminé à tenter ma chance.

— La négociation est le recours des faibles, cracha Valak, méprisant.

— Non, dit Picard. C'est la solution choisie par les espèces évoluées. Malgré leur avance technologique, les Romuliens s'efforcent toujours de soumettre et conquérir les autres races, plutôt que de coopérer avec elles.

« La Fédération ne souhaite pas la guerre avec l'Empire Romulien, qui hésite à la lui déclarer. Malgré le mépris qu'il affiche pour elle, il craint sa force.

« Nous ne quitterons peut-être pas cet endroit vivants, mais il nous reste une chance de nous en sortir sans faire appel à la violence. Même si cette probabilité est minuscule, elle vaut la peine d'être considérée. User de sa force est facile. Vous dites que vous recherchez le défi : dans ce cas, optez pour la solution la moins évidente.

— Malheureusement, je ne crois pas qu'il en reste, lâcha Valak.

— Je peux en trouver une. Laissez-moi tenter de communiquer avec les occupants de l'arche !

Valak se méprit sur les intentions du capitaine.

— Vous espérez pouvoir m'échapper, n'est-ce pas ? C'est hors de question. Vous êtes et resterez mon prisonnier. Si je ne réussis rien d'autre, j'aurai au moins la satisfaction de vous avoir vaincu.

A cet instant, un des guerriers tira, bientôt imité par ses camarades. Il avait vu du mouvement, mais il ignorait sur quoi il s'acharnait. Des cris retentirent dans les ténèbres.

*Dans les ténèbres !*

Alors, Picard comprit ce qui se passait.

— Cessez le feu ! Cessez le feu ! s'égosilla Valak. Imbéciles, vous êtes en train de descendre les nôtres !

Les tirs de disrupteurs moururent.

— Commander Valak ? appela une voix.

— Talar ?

Voyant le Romulien déconcerté, Picard en profita pour lui bondir dessus. Il saisit son arme et la lui arracha d'un geste vif. Avant que le commander puisse réagir, il lui tordit un bras dans le dos et appuya le canon du disrupteur contre sa nuque.

Valak poussa un cri de douleur et de surprise. Les autres guerriers se tournèrent vers lui et écarquillèrent les yeux en découvrant dans quelle position délicate il se trouvait.

— Dites-leur de lâcher leurs armes, ordonna Picard.

— Jamais ! cracha Valak, furieux. ( Puis, à ses hommes : ) Tirez !

— Si vous le faites, votre commander mourra avec moi.

Les Romuliens hésitèrent.

— Tirez ! s'époumona Valak tandis que Picard reculait en l'entraînant. Tirez, je vous l'ordonne !

Il se débattit, mais Jean-Luc accentua la pression sur son bras. On entendit un craquement ; Valak eut un hoquet de douleur.

— Ne tirez pas ! s'exclama Talar.

Picard en profita pour passer un bras autour de la gorge de son prisonnier.

— Je n'ai pas le temps de discuter avec vous. Restez où vous êtes !

Il continua à reculer, serrant la gorge de Valak, qui lutta encore un peu avant de perdre connaissance. Picard attendit quelques secondes pour être sûr qu'il ne lui jouait pas un mauvais tour, puis il jeta le Romulien sur ses épaules.

Les guerriers qu'il tenait maintenant en joue se déployèrent lentement, conscients que Picard ne pouvait tous les viser à la fois. Alors qu'ils avançaient, ils se prirent soudain la tête entre les mains et s'effondrèrent sur le sol, agités de convulsion.

Seul Talar resta debout, le regard rivé sur Picard.

Tous les Romuliens disparus vinrent se placer derrière lui. Picard savait qu'il ne pourrait pas courir en portant Valak. Jamais il n'arriverait à les distancer. Il ne restait plus rien à faire.

Alors, il réalisa qu'il était en train de revivre son cauchemar. Un fardeau sur ses épaules... Séparé de son équipage, incapable d'aider ceux qui comptaient sur lui... Luttant contre l'envie de s'enfuir à toutes jambes...

Il décida de faire face à sa manière. Il posa le disrupteur à ses pieds, lâcha Valak et se redressa de toute sa hauteur.

— Je viens en paix, dit-il en tendant les bras pour montrer que ses mains étaient vides.

Alors, Talar et les autres commencèrent à changer.

*
* *

— J'en ai assez de vos incessantes jérémiades ! hurla Worf, furieux.

— Et moi, j'en ai assez de *vous* ! riposta Arthur. Depuis qu'on nous a enfermés ici, vous n'avez cessé de nous donner des ordres ! Mais vous n'êtes pas notre capitaine. Pour qui vous prenez-vous ?

— Pour l'officier le plus gradé de ce hangar ! Mon devoir est de prendre les choses en main en l'absence du capitaine Picard et du commander Riker.

— Personne ne vous l'a demandé !

— Attention, monsieur : vous frôlez l'insubordination !

— Mieux vaut ça que de se faire tuer en exécutant votre plan débile !

— Taisez-vous !

Ils avaient réussi à attirer l'attention des gardes, qui s'approchèrent en brandissant leurs armes.

Au dernier rang de la foule massée autour des deux hommes, Tyler attendait une occasion. Ses camarades se déplacèrent imperceptiblement pour le dérober à la vue des Romuliens. Il commença à reculer vers le fond du hangar.

— Non, je ne me tairai pas ! hurla Arthur. Je ne veux pas mourir parce que vous vous prenez pour un héros ! Si vous préférez tomber au combat pour satisfaire votre stupide fierté klingonne, ça vous regarde ! Mais il y a des enfants ici, et je ne vous permettrai pas de mettre leur vie en danger !

— *Vous* ne me permettrez pas ? répéta Worf, écumant de rage.

— Exactement ! J'en ai ras-le-bol de votre foutue arrogance klingonne !

— Fermez-là avant que je me fâche !

— Vous croyez peut-être me faire peur ? Mais j'en ai déjà assez supporté !

Worf poussa un grognement et frappa le Terrien à la mâchoire. Arthur s'effondra, mais se releva aussitôt et chargea. Il le ceintura et le plaqua au sol tandis que les spectateurs criaient des encouragements.

— Ecrabouille-le, Arthur !

— Worf, donnez-lui une bonne leçon !

— Flanque-lui la raclée de sa vie !

— Faites-lui cracher ses dents !

Les gardes se précipitèrent vers les prisonniers et distribuèrent des coups de crosse pour se frayer un chemin.

Tyler s'élança vers les navettes à toutes jambes, sans oser jeter un coup d'œil derrière lui. Il craignait que les Romuliens se mettent à tirer dans la foule, un risque que tous ses camarades connaissaient et acceptaient. Trop confiants, leurs geôliers plongèrent dans la mêlée.

Les portes extérieures devraient attendre. Deux gardes étaient restés en arrière, près de l'entrée du hangar. Pour le moment, leur attention était fixée sur la bagarre entre

Worf et Arthur. Si un des deux tournait la tête vers lui, Tyler ne donnait pas cher de sa peau. Il devait agir vite.

Le jeune homme avait ôté ses bottes et courait pieds nus pour ne pas faire de bruit, même si cette précaution était inutile dans le brouhaha ambiant. Il parvint à atteindre les navettes sans se faire voir, plongea dans le sas ouvert de la plus proche et sauta sur le siège du pilote en priant pour que les moteurs veuillent bien marcher.

Son vœu fut exaucé. Les deux Romuliens restés près de la porte jetèrent un coup d'œil vers lui et crièrent quelque chose à leurs camarades, qui avaient assez de problèmes de leur côté : les prisonniers venaient de se retourner contre eux, et ils étaient en passe de succomber sous le nombre.

— Dépêche-toi, marmonna Tyler en surveillant les voyants du tableau de bord.

La navette s'éleva du sol au moment où les gardes épaulaient leur arme. Tyler poussa le levier en avant. Les Romuliens tirèrent. L'un d'eux manqua sa cible ; l'autre la toucha. La navette fit une embardée et se dirigea en cahotant vers l'entrée du hangar.

Les gardes écarquillèrent les yeux et reculèrent. Tyler accéléra, serra les dents et rentra la tête dans les épaules au moment de percuter les portes. Pris entre ces dernières et le nez de la navette, les Romuliens furent écrasés.

Alors, Tyler posa son engin de façon à bloquer l'entrée du hangar. Il sauta à terre, récupéra les disrupteurs des cadavres et se précipita vers ses camarades.

Noyés par la foule, les Romuliens n'avaient pas encore pu tirer, se contentant d'utiliser leurs armes comme des massues. Ils avaient réussi à assommer quelques otages, mais certains d'entre eux aussi étaient tombés.

Trois gardes parvinrent à se dégager et levèrent leur disrupteur. Tyler les descendit avant qu'ils puissent agir.

Worf avait déjà tué trois Romuliens à mains nues. Alors qu'il s'en prenait à un quatrième qui malmenait Arthur, il sentit quelque chose le toucher à l'épaule et tomba à genoux. Derrière lui, un garde brandit son arme et s'apprêta à l'achever.

Un cri perçant retentit. Alexandre bondit sur le dos du Romulien, qui lutta pour se dégager. Worf se releva et lui enfonça son poing dans la poitrine, brisant plusieurs côtes. Le garde s'effondra.

Worf s'empara de son disrupteur.

Après avoir jeté à son fils un regard plein de fierté, il replongea dans la mêlée.

Quelques minutes plus tard, les Romuliens étaient tous morts. A force de surveiller des prisonniers exagérément dociles, ils s'étaient endormis sur leurs lauriers. Jamais ils n'auraient cru que tous se soulèveraient, y compris les femmes et les enfants. Comme Picard l'avait dit à Valak, une fois acculés, les humains faisaient des adversaires redoutables.

Worf ordonna qu'on porte les blessés dans les navettes pendant que Tyler et Arthur désactivaient les commandes des portes extérieures afin que l'équipage de la passerelle ne puisse pas les ouvrir trop tôt. Les gardes n'avaient pas pu donner l'alarme, mais les Romuliens ne tarderaient plus à découvrir ce qu'ils tramaient.

— Dépêchez-vous ! s'écria Tyler. Il n'y a pas de temps à perdre !

— Monsieur, dit un technicien médical en s'approchant de Worf, nous avons trois morts et six blessés graves.

— Il faut les emmener, répondit le Klingon.

— Impossible, nous sommes trop nombreux. Avec une navette pour bloquer l'entrée du hangar, il ne nous en reste plus que trois. Nous ne tiendrons pas tous à bord !

— Il le faudra pourtant, s'entêta Worf. Nous ne pouvons pas abandonner les blessés. Je ne veux pas qu'ils se soient sacrifiés en vain. Ils quitteront ce vaisseau, j'en fais le serment ! Et si possible, nous emporterons aussi les corps de nos camarades tombés au combat.

— Compris.

Tyler se battait toujours avec le panneau de contrôle.

— Plus vite, le pressa Arthur. S'ils réussissent à ouvrir les portes avant que nous soyons prêts, nous y passerons tous !

— Je fais de mon mieux, grogna Tyler. Mais le *Syrinx* n'est pas l'*Entreprise*. Je ne sais pas comment fonctionnent ces maudits circuits, et il m'étonnerait que les Romuliens me l'expliquent. Maintenant, fermez-la et laissez-moi réfléchir !

Worf vint se renseigner sur leurs progrès.

— L'embarquement est presque fini, annonça-t-il. Vous devriez peut-être vous contenter d'ouvrir les portes extérieures.

— Non. Il faut que je déconnecte les commandes de la passerelle, dit Tyler, sinon, en voyant que nous sommes à l'abri dans les navettes, les Romuliens nous retiendront prisonniers ici.

Worf hocha la tête.

— Très bien. Faites de votre mieux.

— Là ! s'écria le jeune homme. Je crois que ça marche !

— Nous le découvrirons bien assez tôt, répliqua Arthur, tendu. Allez-y, monsieur.

— Bonne chance, dit Worf en s'élançant vers une navette.

— Va avec lui, ordonna Tyler à son compagnon.

— Mais si...

— Vas-y ! Et dépêche-toi d'approcher la navette de moi pour que je puisse sauter à bord après avoir ouvert les portes.

— Très bien, capitula Arthur. J'espère que tu sais ce que tu fais.

— Moi aussi.

Tyler attendit que tous les otages aient embarqué, et que les moteurs des navettes se soient mis en marche. Deux d'entre elles avaient déjà fermé leur sas ; elles étaient prêtes à décoller. Worf se tenait dans l'ouverture de la troisième.

Les navettes s'élevèrent en tanguant : elles étaient beaucoup trop chargées. Celle de Worf approcha du panneau de contrôle.

— Maintenant ! hurla le Klingon pour couvrir le gémissement des turbines.

Le jeune homme ferma les yeux et connecta deux fils électriques. Avec un grondement sourd, les portes extérieures du hangar commencèrent à s'ouvrir.

Deux choses se produisirent en même temps. Les sirènes d'alarme se déclenchèrent, et l'air contenu dans le hangar se déversa dans le vide de l'espace. Tyler bondit vers la navette, mais il fut aspiré vers l'extérieur. Worf parvint à lui saisir le poignet et, s'accrochant d'une main au rebord du sas, tenta de tirer le jeune homme à lui.

— Lâchez-moi ! hurla Tyler, suspendu dans les airs. Vous devez fermer le sas !

Worf grimaça.

— Nous partirons... tous ensemble... ou pas du tout, grogna-t-il, un filet de sueur coulant le long de sa tempe.

Arthur vint lui passer les bras autour de la taille. Une véritable chaîne humaine se forma derrière lui et réussit à tracter Tyler à bord au moment où les portes du hangar s'entrouvraient suffisamment pour laisser passer les navettes.

— Le sas ! Vite ! s'écria Worf.

Quelques instants plus tard, les trois navettes abandonnaient le *Syrinx* et se dirigeaient vers l'*Entreprise*. Tyler leva les yeux vers Worf et se fendit d'un large sourire.

— Merci, dit-il. Je vous dois une fière chandelle.

— Vous n'aurez qu'à me payer un verre quand nous serons de retour sur notre vaisseau, grimaça le Klingon.

— Marché conclu.

*
* *

Riker et La Forge durent forcer les casiers de l'armurerie. En récompense de leurs efforts, ils découvrirent deux caisses de fuseurs de type I et une caisse de cellules de sarium krellide encore intactes.

La Forge eut du mal à contenir sa joie en constatant que leurs sceaux n'avaient pas été brisés. Stockées convenablement, ces cellules restaient actives plus d'un siècle : c'était bien davantage qu'il leur en fallait.

*Pas mal du tout*, songea Riker en levant le pouce. *A présent, nous avons une chance de mener le plan jusqu'à son terme.*

Pendant que ses hommes chargeaient les cellules dans les fuseurs, il adressa des remerciements muets à l'officier tactique de l'*Indépendance*, et se promit de ne plus réprimander le sien la prochaine fois qu'il commanderait du matériel en double ou en triple.

Chaque membre de l'équipe se munit d'un fuseur qu'il plaça dans la poche extérieure de sa combinaison.

Puis ils mirent les armes restantes dans leurs caisses et, portant celles-ci, se dirigèrent vers le sas de sortie.

Riker savait que la partie n'était pas encore gagnée. Ils devaient remonter à bord de l'*Entreprise* sans se faire découvrir, distribuer les fuseurs à leurs camarades et prendre le contrôle du vaisseau avant que Korak alerte le *Syrinx*, mettant en danger la vie des otages. Comme si ça ne suffisait pas, ils ignoraient toujours ce qu'il était advenu de Deanna, de Data, de Ro et de Crusher.

Alors qu'ils quittaient l'*Indépendance* avec les caisses d'armes, Riker se demanda si ses compagnons étaient aussi tendus que lui. Combien de temps s'était écoulé depuis leur départ ? Une éternité... Et si les Romuliens découvraient leur absence ? Que feraient-ils ? Ils commenceraient sans doute par fouiller le vaisseau, ce qui ferait gagner un peu de temps aux fugitifs.

Alors qu'ils approchaient de l'*Entreprise*, Riker tenta d'évaluer leurs chances de réussite. Jusqu'ici, tout s'était bien passé, mais le plus dur restait encore à faire. Il s'inquiétait pour les otages. Valak les aurait sans doute gardés en vie ; Korak pourrait les exécuter juste pour frapper Riker là où ça ferait le plus mal. Comment l'en empêcher ?

Le capitaine Picard affirmait qu'il y avait toujours une solution. Dans ce cas, Riker ne voyait pas laquelle. Il tenta de se préparer à l'exécution des otages. *Mes amis,* songea-t-il, *et tous ces enfants...* Son cœur se serra. Pourtant, il n'avait pas le choix. Il ne pouvait plus revenir en arrière.

Plus que cent mètres jusqu'à l'*Entreprise*. Les officiers abordèrent le vaisseau par le dessous de la soucoupe pour réduire les risques de se faire repérer.

Soudain, trois navettes jaillirent d'un hangar du *Syrinx* et fondirent sur les fugitifs. Riker retint son souffle. La Forge les vit en même temps que lui et tendit un doigt. *Cette fois, c'est fichu,* se dit Will. Il ne voyait pas comment, l'équipage du vaisseau Romulien avait pu les repérer, mais le résultat était là.

Puis il réalisa que les navettes étaient celles de l'*Entreprise*. Le *Syrinx* pivotait lentement pour les prendre dans sa ligne de tir. Les otages ! Ça ne pouvait être qu'eux ! D'une façon ou d'une autre, ils avaient réussi à s'échapper. Et ils devaient être serrés comme des sardines...

Riker comprit que son équipe et lui atteindraient l'*Entreprise* avant les navettes. Il fallait qu'ils leur ouvrent les portes extérieures du hangar. Leurs camarades les avaient-ils repérés ? Quoi qu'il en soit, ce n'était plus la peine de maintenir le silence radio.

— Riker à navettes de sauvetage ! appela-t-il dans son communicateur. Répondez !

— Nous vous avons vus, commander, dit la voix de Worf.

Le cœur de Riker fit un bond dans sa poitrine.

— Venez jusqu'au hangar numéro deux, nous vous ouvrirons. Et dépêchez-vous : le *Syrinx* s'apprête à faire feu.

— Bien compris.

Riker se tourna vers ses camarades.

— Geordi et les autres, reculez. Je vais ouvrir les portes intérieures du sas d'urgence en même temps que les portes extérieures.

— Ça va dépressuriser le hangar, protesta La Forge.

— Exactement.

— Oh. Je vois.

En temps normal, le champ de force maintenait l'intégrité atmosphérique du hangar, permettant aux navettes d'entrer ou de sortir sans dépressurisation. Lorsqu'elles franchissaient le champ de force, qui s'ouvrait comme une membrane, un peu d'air s'échappait, mais pas en quantité suffisante pour faire une différence.

Le sas d'urgence, en revanche, n'était pas protégé par le champ de force : voilà pourquoi il possédait deux jeux de portes séparés par une chambre de décompression. Si Riker ouvrait les deux en même temps, l'air contenu dans le hangar serait aspiré par le vide de l'espace. Autrement dit, les Romuliens ne pourraient y pénétrer jusqu'à ce qu'il soit repressurisé. Ce serait toujours ça de gagné.

Riker approcha du panneau de contrôle et ouvrit les portes extérieures du sas, puis il les bloqua avant d'ouvrir les portes du fond. Accroché à la rambarde de sécurité, il banda ses muscles pour ne pas être éjecté du sas. Quelques instants plus tard, la pression s'équilibra ; il se détendit et fit signe aux autres de le rejoindre.

A présent que les navettes étaient si près de l'*Entreprise*, le *Syrinx* n'oserait plus tirer. Les Romuliens ne sacrifieraient pas la moitié de leur équipage, du moins Riker l'espérait-il. Sans doute feraient-ils confiance à leurs camarades pour capturer à nouveau les fugitifs.

Pendant que le reste de son équipe pénétrait dans le hangar, Riker se précipita pour ouvrir les portes intérieures, qui s'écartèrent lentement, puis s'immobilisèrent et recommencèrent à se fermer. Riker jura entre ses dents.

— Le contrôle de la passerelle ! Geordi...

— Je m'en occupe !

La Forge ouvrit le tableau et désactiva les commandes. Par l'entrebâillement des portes, Riker vit approcher les trois navettes.

— Riker à Worf : nous avons neutralisé les commandes de la passerelle. Nous allons ouvrir les portes manuellement. Mais le hangar est dépressurisé. Je répète : le hangar est dépressurisé. Ne descendez pas avant mon signal.

— Compris, commander, répondit le Klingon.

Que les Romuliens les entendent n'avait plus d'importance. C'était même aussi bien, car ça les tiendrait à distance du hangar. Ils ne pourraient pas entrer sans combinaisons spéciales avant la repressurisation. *D'ici là*, songea Riker, *nous serons prêts à les recevoir*.

Les portes extérieures s'écartèrent à nouveau ; Worf fit entrer la première navette avant qu'elles soient complètement ouvertes. Debout devant la console technique, Riker manipulait les rayons tracteurs qui permettraient à ses camarades de se poser sans encombre. Chargés comme ils étaient, Worf et les siens auraient besoin de toute l'aide possible.

Pendant ce temps, Geordi et les autres déballèrent les fuseurs, se préparant à les distribuer aux passagers des navettes dès qu'ils débarqueraient.

Quand la dernière navette se posa, les portes commencèrent à se refermer. Riker surveilla les jauges de sa console, attendant que l'intégrité atmosphérique soit rétablie dans le hangar.

Les secondes se muèrent en minutes, les minutes semblèrent se changer en heures. Puis la voix de Korak sortit des haut-parleurs.

— Une tentative admirable, commander Riker. Mais vous avez seulement réussi à vous jeter à nouveau dans nos griffes. Vous ne quitterez pas ce hangar vivants.

# CHAPITRE XII

Quand Valak rouvrit les yeux, Picard était penché sur lui et pointait sur sa poitrine le disrupteur qu'il lui avait arraché. Le Romulien tenta de s'asseoir et grimaça.

— Soyez maudit, grogna-t-il. Vous m'avez cassé le bras.

— Vous ne m'avez guère laissé le choix, répliqua Picard.

Valak regarda autour de lui. L'aube ( ou ce qui en tenait lieu dans l'arche ) s'était levée, et il se trouvait dans une zone différente : un parc perché sur une colline boisée. Au pied de celle-ci s'étendait un jardin à l'herbe turquoise, semé çà et là de buissons et d'arbres arachnéens.

De petits chemins serpentaient autour d'une fontaine et de quelques bouquets de statues. Il ne manquait à cette scène bucolique que le chant des oiseaux. A part Picard et Valak, l'endroit semblait désert.

— Ainsi, vous avez réussi à vous enfuir, constata le Romulien. Ça ne servira à rien. Vous avez l'avantage *pour le moment*. Mes guerriers vous retrouveront...

— Ça m'étonnerait. Encombré comme je l'étais par votre poids, ils auraient pu me rattraper sans difficulté. Pourtant, ils ne l'ont pas fait. Qu'en concluez-vous ?

Valak s'adossa à un arbre.

— Je ne vois pas ce que vous voulez dire, grommela-t-il.

196

— Réfléchissez un peu. Je vous ai cassé un bras, pas le cerveau ! Ne trouvez-vous pas curieux que Talar et les autres aient réapparu au bon moment ?

Valak fronça les sourcils.

— Où voulez-vous en venir ?

— Une fois la nuit tombée, partout où nous nous sommes rendus dans cette arche, les lumières nous ont suivis, éclairant notre chemin. Mais Talar et ses hommes sont sortis des ténèbres. Pourquoi ?

Valak ne répondit pas.

— C'est très simple : contrairement à ce que nous croyions, les lumières ne sont pas activées par des senseurs. Nous sommes surveillés depuis notre arrivée.

— Je vois. Alors, les lumières qui se dirigeaient vers nous étaient une ruse. On voulait jouer avec nos nerfs et nous faire croire qu'une force importante approchait, pour que nous tirions sur Talar et les autres...

— C'est une explication possible, concéda Picard. Mais elle ne nous dit pas comment vos guerriers ont disparu, ni pourquoi ils ont soudain surgi de nulle part. Elle ne nous dit pas non plus comment quelqu'un a pu contacter le *Syrinx* et ordonner avec votre voix qu'on téléporte d'autres équipes. La personne capable de faire ça aurait pu demander qu'on la remonte à bord de votre vaisseau.

— Mes guerriers l'auraient abattue au moment où elle se serait matérialisée.

Picard leva un sourcil.

— Vraiment ? Et si les occupants de cette arche n'étaient pas seulement capables d'imiter une voix ? Pensez à l'*Indépendance* : que lui est-il arrivé ? Une partie de l'équipage a pu être attirée ici par la ruse. Mais à un moment ou un autre, l'autre aurait dû se rendre compte qu'il y avait un problème.

— A moins qu'un ennemi se soit déjà infiltré sur le vaisseau, dit un second Picard, sortant de derrière un arbre.

Valak écarquilla les yeux et, bouche bée, regarda alternativement les deux humains. Ils étaient identiques en tout point.

— Fascinant, n'est-ce pas ? dit le premier. Lequel de nous deux est le véritable Jean-Luc Picard ?

— Aucun de nous, peut-être, répondit le second.

Valak entendit un bruit de pas. Talar et les autres apparurent au sommet de la colline, disrupteur au poing. Ils s'immobilisèrent en découvrant les deux Picard.

— Tirez ! hurla Valak. Abattez-les tous les deux !

Talar baissa son arme.

— Je crains que vous me preniez pour quelqu'un d'autre, commander, dit-il avec la voix de Valak.

Paniqué, le Romulien activa son communicateur.

— Valak à *Syrinx*.

— Je vous reçois, commander.

Valak voulut crier un avertissement, mais la douleur explosa dans sa tête, et il s'écroula, le souffle coupé. Des étincelles dansèrent devant ses yeux. Il essaya de crier, mais aucun son ne sortit de sa gorge.

— Remontez-nous, dit à côté de lui une voix qui était pourtant la sienne.

*
**

Riker surveillait toujours les indicateurs de sa console. Au moment où l'intégrité atmosphérique fut restaurée dans le hangar, il ôta son casque et fit signe à Worf que les otages pouvaient débarquer. Tandis qu'ils sortaient des navettes, Geordi et ses hommes leur tendirent des fuseurs.

— Je ne sais pas comment vous avez réussi à vous échapper, dit Riker, mais je suis sacrément content de vous voir. Vous n'auriez pu tomber à un meilleur moment.

— A votre service, commander, répondit Worf.

— Nous n'avons pas beaucoup de temps, annonça Riker. Dès qu'ils se rendront compte que le hangar est repressurisé, ils vont se pointer ici.

— Ne vous en faites pas : nous leur réservons un accueil chaleureux, grogna le Klingon.

— Nous nous servirons des navettes comme couverture, et nous les abattrons quand ils essaieront d'entrer. Keiko !

— Oui, monsieur ?

— Emmenez les enfants dans les tubes de Jeffries, et restez-y jusqu'à ce que je vous dise d'en sortir.

— Compris.

La jeune femme et les autres mères aidèrent leur progéniture à s'introduire dans les conduits.

— Geordi, dit Riker en se tournant vers son ami, emmenez vos ingénieurs et faufilez-vous jusqu'au pont dix. Prenez quelques fuseurs supplémentaires avec vous. Bonne chance !

Pendant que La Forge obéissait, Riker s'assura que les enfants étaient en sécurité. Puis il rejoignit Worf derrière les navettes, où le reste des otages s'étaient mis en position.

— Les Romuliens savent déjà que nous avons déconnecté les commandes des portes extérieures. Ils vont essayer de couper le système de survie à l'intérieur du hangar, mais Geordi a déjà veillé à ce qu'ils ne puissent le faire. Quand ils auront compris, ils viendront ici pour nous débusquer.

— Ne craignez-vous pas qu'ils arrivent par les tubes de Jeffries ? demanda Worf.

Riker secoua la tête.

— Ils devraient sortir un par un, et il serait trop facile pour nous de les descendre. De toute façon, ce n'est pas le style de Korak. Il préférera un assaut frontal. Il a un compte à régler avec moi, et il ne laissera personne s'en charger à sa place.

Worf jeta à Riker un regard intrigué.

— Un compte à régler ? répéta-t-il, incrédule.

— C'est une longue histoire. Je vous expliquerai plus tard.

Les portes commencèrent à s'ouvrir.

— Les voilà, annonça Tyler en levant son arme.

Une escouade de Romuliens se précipita dans le hangar en tirant. Les guerriers furent accueillis par un tir nourri de rayons de fuseurs. Certains s'effondrèrent tandis que les autres reculaient.

Mais le réservoir d'une des navettes avait été touché. Le souffle de l'explosion fit plusieurs victimes parmi les otages. Les flammes activèrent le système anti-incendie ; des jets de vapeur jaillirent du plafond et emplirent le hangar d'un brouillard chimique. Les Romuliens battirent en retraite.

— Korak ! cria Riker. Vous m'entendez ? Vous voulez une revanche ? Alors, venez ! Réglons les choses entre hommes, juste vous et moi !

— Me prenez-vous pour un imbécile ? répondit le Romulien. Croyez-vous que je vais avancer seul pour que vous puissiez m'abattre ?

— Je vais poser mon arme et venir à votre rencontre, proposa Riker. Comme ça, mes gens ne pourront pas tirer de peur de me toucher, et idem pour les vôtres. Nous réglerons d'abord nos comptes... A moins que vous n'ayez peur.

— Avancez là où je peux vous voir ! lança Korak. Vous avez ma parole d'honneur que nous ne vous ferons pas de mal.

Riker allait s'exécuter, mais Worf le retint par le bras.

— Vous allez faire confiance à un Romulien ? s'exclama-t-il, incrédule.

— Je n'aurais jamais cru dire ça un jour... Dans ce cas, oui.

Worf secoua la tête.

— C'est de la folie.

— Ça donnera à Geordi et aux autres le temps d'atteindre le pont dix. Et puis, c'est une affaire personnelle.

Le Klingon secoua la tête et lâcha Riker, qui sortit de sa cachette et avança vers le centre du hangar. A travers le brouillard chimique, il vit une silhouette se diriger vers lui : Korak.

Les deux hommes s'arrêtèrent à cinq mètres l'un de l'autre. Sans quitter le Romulien du regard, Riker posa lentement son fuseur et recula. Korak fit de même avec son disrupteur.

— J'attendais ce moment avec impatience, déclara-t-il avec un sourire de carnassier. Cette fois, Riker, vous n'en sortirez pas vivant.

— Cette fois, Korak, personne n'interviendra pour vous sauver.

Le Romulien poussa un grognement et passa à l'attaque.

*
* *

Le responsable de la téléportation du *Syrinx* n'était pas préparé à la vue de deux Jean-Luc Picard soutenant Valak, le trio étant entouré par le reste des équipes d'exploration. Une seconde d'hésitation lui fit perdre toute chance de réagir.

Alors qu'il tendait la main vers son disrupteur, une douleur insoutenable lui vrilla le cerveau. Il se saisit la tête à deux mains et tomba à genoux. Un instant plus tard, il gisait inconscient sur le pont.

— Vite, dit Picard. Nous n'avons pas de temps à perdre.

— J'ai déjà prévenu les autres de notre arrivée, déclara son double. Je comprends votre inquiétude. Soyez sûr que le *Syrinx* ne sera pas une menace pour l'*Entreprise*.

Valak était conscient mais impuissant. Très pâle, il tremblait de la tête aux pieds. Ses mâchoires fonctionnaient toujours, pourtant aucun son ne sortait de sa bouche. Il ne pouvait résister au contrôle mental qu'on lui imposait.

Le double de Picard s'approcha de la console de contrôle. Deux des faux Romuliens descendirent de la plate-forme, pendant que Valak et les autres restaient où ils se trouvaient. Intrigué, Picard regarda son double taper des commandes sur le clavier.

Dans sa tête, une voix répondit à la question qu'il n'avait pas encore posée : *J'ai puisé dans l'esprit du technicien le savoir nécessaire pour transporter les autres sur l'*Entreprise. *Nous les rejoindrons dès que nous nous serons emparés de ce vaisseau.*

Picard hocha la tête. Cette pensée lui avait été transmise avec tant d'assurance qu'il ne doutait pas que son double en soit capable. Et ça l'effrayait un peu. *Inutile d'avoir peur. Nous ne vous voulons aucun mal.*

— Je vous crois. ( Picard prit une longue inspiration. ) Mais l'idée que vous puissiez vous emparer d'un Oiseau de Proie n'a rien de rassurant.

*Je comprends. C'est aussi ce que pensaient les humains de l'*Indépendance, *au début. Mais ils ont fini par nous accepter comme nous les acceptons.*

— Voulez-vous dire qu'ils sont toujours vivants ? s'étonna Picard.

*Pas tous, hélas.*

— Je vois. Trente ans plus tard, il fallait s'y attendre.

*Je crains que ceux qui n'ont pas survécu aient succombé à des causes fort peu naturelles.*

— Que leur est-il arrivé ?

*Nous les avons tués.*

Alors que son double s'écartait de la console, Picard vit que ses traits commençaient à fondre. Quelques instants plus tard, il eut devant les yeux une réplique parfaite du commander Valak, jusqu'au plus petit bouton de son uniforme. C'était la seconde fois qu'il assistait à une telle transformation, mais il était toujours aussi stupéfait.

*Venez.* Ils sortirent dans le couloir et se dirigèrent vers l'ascenseur. En route, ils passèrent devant les formes inanimées de plusieurs dizaines de Romuliens.

— Sont-ils morts ? s'enquit Picard.

*Non. Nous les avons seulement neutralisés.*

L'ascenseur les conduisit sur la passerelle de l'Oiseau de Proie. Alors que les portes de la cabine s'ouvraient, le seigneur Kazanak se tourna vers eux, l'air paniqué.

— Valak ! Dieux merci, vous êtes revenu ! Les otages humains se sont échappés, et quelque chose cloche à bord de ce vaisseau ! Aucune section ne répond. Je n'arrive pas à contacter nos gens sur l'*Entreprise* ! ( Il aperçut Picard et grimaça. ) Vous ! C'est vous le responsable !

— J'aimerais bien, avoua Picard, mais je dois décliner cet honneur. Je suppose que vous êtes le seigneur Kazanak, concepteur de ce navire ? ( Il lui fit un grand sourire et s'assit dans le trône de commandement. ) Tous mes compliments : c'est un engin vraiment remarquable.

Les yeux écarquillés, Kazanak se tourna vers Valak.

— Qu'est-ce que ça signifie ? J'exige une explication !

— Le commander Valak est actuellement prisonnier à bord de l'*Entreprise*. Le *Syrinx* est à nous, lui répondit le double de l'officier.

— Avez-vous perdu la tête ? Que racontez-vous ?

— Seigneur Kazanak, intervint Picard, les apparences peuvent être trompeuses, comme je l'ai appris à mes dépens quand j'ai pour la première fois posé un pied à bord de ce vaisseau. Vous n'êtes pas en train de parler au commander Valak. Regardez autour de vous : voyez-vous des visages familiers ?

Intrigué, Kazanak s'exécuta. Les hommes de la passerelle firent pivoter leur siège pour se tourner vers lui : du navigateur jusqu'à l'officier tactique, ils avaient tous son visage.

— Non ! hurla Kazanak. C'est impossible ! C'est une ruse ! Comment... ?

Il s'affaissa contre une console, incapable d'accepter cette situation déroutante.

— Votre mission s'achève là, seigneur Kazanak, déclara Picard. Vous avez découvert ce que vous cherchiez : le secret d'Hermeticus II.

*
* *

La Forge s'arrêta et leva la main. Derrière lui, ses compagnons se rapprochèrent autant que l'étroitesse du conduit le leur permettait. Ils venaient d'atteindre le sas menant au pont dix, où les Romuliens retenaient certains de leurs camarades.

— Très bien, souffla La Forge. Il doit y avoir des gardes dans le couloir et sans doute à la proue. Nous devrons maîtriser les premiers très vite, pour qu'ils n'aient pas le temps d'alerter les autres. Ils nous verront immédiatement. Autrement dit, il faut sortir en tirant. Compris ?

Tous hochèrent la tête. La Forge prit une longue inspiration.

— Vous êtes prêts ? On y va !

Il ouvrit le sas, plongea dans le couloir, roula sur lui-même, se releva et posa le doigt sur la détente de son arme. Au dernier moment, il se figea.

— Que... ?

Lewis et les autres l'avaient suivi, mais eux non plus ne tirèrent pas, car il n'y avait aucune cible en vue. Les Romuliens gisaient sur le sol. Geordi échangea un regard stupéfait avec ses hommes et s'approcha prudemment des gardes.

— Couvrez-moi, dit-il en s'agenouillant près d'un Romulien.

— Sont-ils morts ? s'enquit Lewis.

La Forge secoua la tête.

— Non. Juste inconscients.

— Que s'est-il passé ?

— Je l'ignore. Très bien. Nous allons entrer. Faites attention.

La porte coulissa. Geordi et les autres entrèrent en trombe, fuseur brandi. A l'intérieur, les gardes n'étaient pas en meilleur état, contrairement à leurs camarades, qui semblaient en pleine forme.

— Ça alors ! souffla La Forge.

— Inutile de vous inquiéter, Geordi, déclara une voix familière. Nous contrôlons la situation.

— Deanna ?

La Forge regarda la Bétazoïde avancer vers lui en souriant. Ro et Data l'accompagnaient, ainsi que deux inconnus vêtus de longues robes noires.

— Qui sont ces gens ? s'enquit l'ingénieur, les sourcils froncés.

Deanna se tourna vers eux et les invita à approcher.

— Geordi, laissez-moi vous présenter le commander Morgan Llewellyn et le docteur Giorgi Vishinski, du vaisseau stellaire *Indépendance*.

\*
\* \*

Les flammes étaient éteintes depuis longtemps, mais la brume du système anti-incendie planait toujours dans le hangar, se mêlant à la fumée. Ramassé sur lui-même, Riker respirait avec difficulté. Du sang coulait de son nez cassé, et il avait un œil au beurre noir. Tout son corps lui faisait mal.

Korak n'était pas en meilleur état. Il tournait autour de son adversaire en boitant, et son poignet gauche formait un angle bizarre avec son bras. Un filet de sang coulait de ses lèvres, mais il n'avait pas l'intention d'abandonner. Il refusait de se laisser battre par un humain sous les yeux de ses subordonnés.

Les deux combattants étaient presque de force égale. L'endurance supérieure de Korak lui avait permis d'encaisser les coups que Will, plus rapide, lui avait assenés en rafale. A l'inverse, Riker n'avait pas été touché souvent, mais chaque attaque du Romulien l'avait mis à mal.

Seule sa maîtrise de l'aïkido lui avait valu de ne pas se faire pulvériser. Korak n'était pas familiarisé avec cet art martial, et il enrageait de se faire ridiculiser par les projections que Riker exécutait sans effort apparent. Soigneusement entretenue par les railleries de son adversaire, sa frustration le rendait presque fou de rage.

Des deux côtés, les spectateurs observaient la scène dans un silence tendu. Aucun n'osait crier d'encouragement. Fascinés, ils regardaient les deux adversaires se tourner autour, cherchant une ouverture.

Malgré son poignet cassé, Korak continuait à distribuer des coups redoutables. Il ne semblait pas trop souffrir, mais se déplaçait avec difficulté : Riker lui avait porté au genou un coup qui aurait suffi à briser la rotule de n'importe quel humain. Pourtant, il était toujours sur ses pieds.

— Que se passe-t-il, Korak ? demanda Will, haletant. On commence à fatiguer ?

Avec un grognement de rage, le Romulien chargea. Riker lui saisit le poignet droit, puis fit un pas de côté et pivota sur lui-même, utilisant l'élan de son adversaire pour le renverser. Il ne lâcha pas prise et eut la satisfaction d'entendre craquer les os de Korak.

Le Romulien poussa un cri de douleur et atterrit lourdement sur le dos. Il tenta de se relever, mais ses mains ne pouvaient le soutenir. Il resta à genoux, les bras croisés sur la poitrine, un éclair de folie dans les yeux.

— Tirez ! cria-t-il à ses guerriers. ( Il ne se souciait plus d'être touché par le rayon de leurs disrupteurs. ) Tuez-le !

Worf et les autres levèrent leurs armes, mais les Romuliens ne réagirent pas.

— Tirez, bande d'imbéciles ! s'égosilla Korak. Tuez-le !

— Plus personne ne mourra aujourd'hui, déclara Picard en sortant de la brume là où s'étaient tenus les Romuliens quelques minutes plus tôt.

— Capitaine ! s'exclama Riker.

— Je vais bien, numéro un. Les autres aussi. Le *Syrinx* a été neutralisé, et l'*Entreprise* nous appartient à nouveau.

— Mais... comment ?

— Je crains que ce soit un peu long à expliquer, et je ne possède pas toutes les réponses. Je dois d'abord vous conduire à l'infirmerie pour que le docteur Crusher vous examine. ( Picard baissa les yeux vers Korak. ) Lui aussi, d'ailleurs. Monsieur Worf, voulez-vous l'aider ?

— Avec plaisir. ( Le Klingon fit un signe de tête approbateur à Riker. ) Vous vous êtes bien battu, commander.

— Merci, répondit faiblement Will.

— Venez avec moi, ordonna Worf, se penchant pour aider Korak.

— Ne me touchez pas ! s'écria le Romulien. Tuez-moi et qu'on n'en parle plus ! Je ne mérite pas de vivre !

— Ce n'est pas moi qui dirai le contraire, admit Worf. Maintenant, allez-vous vous relever, ou dois-je vous assommer pour vous porter jusqu'à l'infirmerie ?

A contrecœur, Korak accepta l'aide du Klingon. Il s'éloigna en sa compagnie, tête baissée sous le poids de sa honte.

\*
\* \*

Ils se retrouvèrent dans la salle de réunion de l'*Entreprise*. Riker, moulu et le torse bandé, s'assit en grimaçant près de Deanna Troi. A la droite de celle-ci étaient placés Ro Laren, puis Data et Geordi La Forge. De l'autre côté de la table se tenaient le docteur Beverly Crusher, Worf et Picard. Llewellyn et Vishinski présidaient.

— Nos amis de l'arche ont préféré ne pas venir, expliqua Llewellyn. Ils ont senti chez vous certaines réticences dues à leurs pouvoirs télépathiques, et ils se sont dits que vous parleriez plus librement hors de leur présence.

Les officiers de l'*Entreprise* se regardèrent.

— Nous n'avons rien à cacher, déclara Picard. Et j'espérais qu'ils viendraient, car nous avons beaucoup de choses à leur demander.

Llewellyn sourit.

— Ce n'est pas si simple... A notre contact, ils ont appris que les races non-télépathes ressentaient un certain malaise en présence de créatures capables de lire les pensées. Nous avons eu beaucoup de mal à nous y habituer. Deanna Troi comprendra sûrement ce que je veux dire.

— Très bien. Alors, commençons par le commencement : qui sont-ils ? lança Riker.

— Nous les appelons des ambimorphes, répondit Vishinski. Le nom qu'ils se donnent est imprononçable pour nous. En trente ans, nous n'avons pas réussi à apprendre leur langage, qu'ils ne parlent d'ailleurs pas entre eux. Ils l'écrivent d'une façon hautement complexe et symbolique, mais ils ne communiquent que par la pensée

— Des métamorphes, souffla La Forge. Et télépathes, en plus.

— Si vous pensez qu'ils feraient des ennemis redoutables, vous avez mille fois raison, dit Llewellyn. Contre eux, nous n'aurions pas la moindre chance.

— D'après ce que j'ai vu, je ne peux qu'approuver, acquiesça Picard.

La Forge jeta un regard en coin au vieil homme.

— Je, euh... Je vois ce que vous voulez dire à propos de ces inhibitions. ( Il hésita. ) Etiez-vous en train de lire dans mon esprit ?

Llewellyn sourit.

208

— Pas du tout. J'en suis incapable, même si trente années au contact des ambimorphes ont considérablement développé nos perceptions. Et pour anticiper votre prochaine question : non, je ne suis pas l'un d'eux en train de me faire passer pour un humain.

« Vous devrez me croire sur parole, car si c'était le cas, vous n'auriez aucun moyen de vous en apercevoir. Les tricordeurs les plus sophistiqués ne sauraient distinguer un ambimorphe d'un humain.

— D'où viennent-ils ? s'enquit Worf.

— D'un système solaire éloigné, répondit Vishinski. C'est tout ce que nous savons. Ils ont ce vaisseau multigénération, et leur espérance de vie est bien supérieure à la nôtre.

— L'arche est ici depuis trente ans, fit remarquer Picard. Que voulaient-ils faire dans le secteur ?

— Certains d'entre vous le savent déjà, dit Llewellyn, faisant allusion à Troi, à Crusher, à Ro et à Data. Leur mission est semblable à la vôtre... Je devrais plutôt dire à la nôtre, mais après tant de temps, j'ai du mal à me souvenir que je suis toujours un officier de Starfleet.

— Ils sont venus dans notre galaxie en quête de créatures intelligentes ? dit Picard.

— Oui, et ils ont trouvé plusieurs espèces en guerre les unes contre les autres. A leur arrivée, la Fédération luttait encore contre l'Empire Klingon, et personne ne savait que penser des Romuliens. La situation était très instable, et elle n'a pas tellement changé, malgré la paix conclue entre humains et Klingons.

« Les ambimorphes ne savaient pas comment réagir. Depuis longtemps, leur race a dépassé ses pulsions de violence. Ils n'arrivaient pas à comprendre ce qui se passait ni pourquoi. Alors, plutôt que de prendre contact avec une des espèces, ils ont décidé d'attendre en surveillant nos communications subspatiales pour savoir ce que nous préparions.

— C'est vous qui avez fini par prendre contact avec eux, dit Riker.

Llewellyn hocha la tête et répéta l'histoire de l'*Indépendance* telle qu'il l'avait racontée à Troi, et aux autres.

— Au début, les ambimorphes nous ont testés. Ils voulaient savoir si nous réagirions violemment.

— Les sculptures, intervint Deanna. J'ai senti quelque chose en touchant l'une d'elles. C'était une vague impression qui n'a pas duré.

— A moins que quelqu'un l'ait bloquée télépathiquement, répliqua Picard. Ainsi, ce que nous avons pris pour des statues-lampadaires étaient en réalité des ambimorphes ?

— Exact, approuva Llewellyn. Puis ils nous révélèrent leur présence, sous leur forme humanoïde, restant à une certaine distance, pour voir ce que nous allions faire.

« Quelques-uns se firent téléporter à bord de notre vaisseau, mais sans intention de s'en emparer. Ils voulaient juste être en position de réagir très vite si nos intentions étaient hostiles, ou si nous tentions de communiquer avec Starfleet.

— Comment se fait-il que tout votre équipage se soit téléporté à bord de l'arche ? Et pourquoi quatre des vôtres ont-ils tenté de s'enfuir à bord d'une navette ? demanda Picard.

— Nous n'avons pas eu le choix, dit tristement Llewellyn. Quand les ambimorphes ont pris contact avec nous, convaincus que nous n'étions pas agressifs, ils se sont montrés très chaleureux et accueillants. Hélas, nous avions déjà été exposés.

Vishinski prit le relais.

— Grâce à leur capacité d'altérer leur structure moléculaire, les ambimorphes possèdent sans doute le meilleur système immunitaire de l'univers. Mais ils n'ont pas pensé que nous serions moins chanceux.

— L'équipage de l'*Indépendance* a contracté une maladie transmise par les ambimorphes, expliqua le doc-

teur Crusher. Un virus dû à une bactérie inconnue rame-
née de leur monde natal. Bien qu'immunisés ils en étaient
porteurs.

— Le virus s'est répandu à une vitesse incroyable,
déclara Vishinski. Notre science médicale n'était pas à la
hauteur. Nous avons perdu près de la moitié de notre équipage avant que les ambimorphes puissent mettre un terme
à l'épidémie.

— C'est donc ce qu'ils voulaient dire par : « Nous les
avons tués », soupira Picard.

Llewellyn hocha la tête.

— Les ambimorphes étaient choqués et navrés.
Aujourd'hui encore, ils se sentent responsables de ce qui
est arrivé à nos camarades. C'est pour eux une grande
source de culpabilité, même s'ils n'étaient pas animés de
mauvaises intentions.

— Ça explique la quarantaine, en tout cas, acquiesça
Picard. ( Il fronça les sourcils. ) Ainsi, nous avons tous été
exposés.

— Non, non : ne vous inquiétez pas, dit vivement le
docteur Vishinski. Une fois qu'ils ont pris conscience de
ce qui arrivait, ils ont pu isoler le virus et, avec mon aide,
le détruire sans trop de mal.

— Malheureusement, ils ne purent rien faire pour
ceux qui avaient déjà été infectés, ajouta Llewellyn. Beaucoup de nos camarades étaient déjà morts ou agonisants.
Les survivants bénéficièrent d'un traitement à base d'anticorps.

— Hélas, il fallut du temps, soupira Vishinski. Notre
organisme et son fonctionnement leur étaient inconnus.
Le premier traitement tua le virus et ceux qui s'étaient
portés volontaires pour le tester.

« Enfin, les ambimorphes parvinrent à produire des
anticorps que notre système tolérait. Cette thérapie ne
guérit pas le virus, mais elle le maintient en stase, à condition qu'on la renouvelle régulièrement.

— Et c'est pour ça que vous ne pouvez pas quitter l'arche, dit Crusher. Au cours des trente dernières années, nos scientifiques ont fait de grands progrès. Ils pourraient peut-être dupliquer le traitement.

— Ce n'est pas notre seule raison de rester ici, dit Llewellyn. Nos enfants ont grandi à bord de l'arche et n'ont jamais eu de contact avec la société humaine. Ils ne connaissent pas d'autre existence, et elle les satisfait pleinement. L'arche est leur maison. Jamais ils ne voudront la quitter.

« Cette situation nous a offert une fantastique occasion d'apprendre. Les ambimorphes nous ont étudiés sous toutes les coutures — et réciproquement. Leur espèce est unique, très avancée et la plus adaptable que nous ayons jamais rencontrée.

— Leur capacité d'altérer leur structure moléculaire à volonté les rend quasiment invulnérables, ajouta Vishinski. Il est heureux pour nous qu'ils soient pacifiques, car ils pourraient conquérir l'univers si l'envie leur en prenait. Ils se sont installés sur quantité de mondes, toujours en respectant l'équilibre écologique originel. Ils cherchent une niche, puis s'y adaptent.

— Fascinant, commenta Picard. Et les quatre hommes qui se sont enfuis à bord de la navette de sauvetage ?

Llewellyn prit l'air gêné.

— Je n'ai pas été tout à fait honnête avec vos officiers, admit-il. J'avais des choses étonnantes à leur raconter, et je voulais voir comment ils réagiraient avant de leur livrer cette partie de l'histoire.

« Le capitaine Wiley, le lieutenant-commander Glener, l'enseigne Morris et le chef Connors furent parmi les premiers à succomber au virus. Les *survivants* découverts à bord de la navette n'étaient ni morts ni humains, mais des ambimorphes se faisant passer pour nos camarades disparus.

— Dans quel but ? s'enquit Picard.

— Ne le devinez-vous pas ? demanda Llewellyn. Ils voulaient se rendre sur Terre et infiltrer Starfleet.

— Minute ! l'interrompit Riker. Je croyais qu'ils étaient pacifiques.

— Ils le sont, ne vous inquiétez pas. Mais ils étaient avides d'en découvrir davantage sur la Fédération, tout en pensant que celle-ci n'était pas prête pour un contact officiel. Du moins, pas encore. Comparés à eux, nous sommes très primitifs.

« En sondant nos esprits, ils ont découvert l'existence des protocoles de quarantaine, qu'ils ont mis à profit pour s'assurer qu'aucun autre vaisseau ne croiserait dans les parages de l'arche, expliqua Llewellyn.

— Je vois. C'était il y a trente ans... Que sont devenus les quatre ambimorphes ?

— Je l'ignore. Comme je vous l'ai dit, leur espérance de vie est bien supérieure à la nôtre, et grâce à leurs capacités, ils pourraient être n'importe où.

— Et vous... vous avez coopéré ? s'étrangla Riker.

— Oui, mais ils auraient pu se passer de notre aide. Ils souhaitaient apprendre et garder un œil sur nous. Si nous ne sommes plus les barbares d'autrefois, nous avons toujours une propension certaine à la violence.

Mal à l'aise, Riker s'agita sur sa chaise.

— Si vous voulez faire un rapport, ne vous gênez pas, reprit Llewellyn. Vous ne les découvrirez jamais, à moins qu'ils souhaitent l'être.

— Vous oubliez une chose, dit Picard. Il existe au Q. G. de Starfleet un dossier contenant les coordonnées de l'arche. Si nous faisons un rapport, d'autres vaisseaux de la Fédération viendront enquêter. La décision ne nous appartiendra plus.

*Ça ne fera aucune différence, capitaine,* dit une voix qu'ils entendirent tous dans leur tête. *Le temps qu'ils arrivent, l'arche ne se trouvera plus ici.*

Tous se tournèrent pour voir deux ambimorphes pénétrer dans la salle de réunion. Ils avaient pris une forme vaguement humanoïde, mais avec une substance proto-plasmique. On aurait dit des amibes géantes. Picard voyait au travers de leurs corps ; leur structure interne semblait toujours en mouvement.

*Cette étape de notre mission touche à sa fin. L'heure de rentrer au bercail a sonné. Nous ne verrons pas le terme du voyage, mais nous aurons notre travail pour passer le temps, et nos enfants en porteront les fruits sur notre monde natal.*

— Et les Romuliens ? s'enquit Picard.

*Nous les emmènerons avec nous. Nous voulons les étudier et en apprendre autant que possible sur leur espèce, comme nous l'avons fait avec le commander Llewellyn et les siens. Ce que nous avons découvert sur vous, par leur intermédiaire, nous donne beaucoup d'espoir.*

*Sans vouloir vous offenser, nous pensons que les humains ne sont pas suffisamment évolués. Mais il est probable que nous établissions un jour un contact officiel avec eux. Ceux d'entre nous qui se sont rendus sur Terre le préparent déjà.*

*Leur mission est pacifique : ils ne veulent pas vous gêner, seulement s'informer et prendre des contacts discrets avec vos chefs.*

*Tant que vous vous battrez avec les Romuliens, nous ne nous montrerons pas. Nous trouvons la violence barbare et inutile : il existe des moyens plus intelligents de résoudre un différend. Quand votre peuple et les Romuliens les auront découverts, peut-être serez-vous prêts à nous rencontrer.*

La porte s'ouvrit. Valak entra dans la salle de réunion, flanqué par deux membres de l'équipage de l'*Entreprise*. Il vit les deux ambimorphes dans leur état naturel et sursauta. Puis son regard balaya l'assemblée et vint se poser sur Picard.

— Que sont ces créatures ? demanda-t-il.

— Vous aurez tout le temps de le découvrir, répondit Picard. Elles veulent vous garder avec elles.

Valak écarquilla les yeux.

— Non ! Capitaine, c'est votre vaisseau ! Vous ne pouvez pas les laisser nous enlever !

Picard haussa les épaules.

— En supposant que je le veuille, je ne vois pas comment je pourrais les en empêcher. Je vous avais conseillé d'être prudent...

— Que vont-ils faire de nous ? demanda le Romulien.

*En ce moment même, les nôtres transfèrent votre équipage sur l'arche. Une fois évacué, le* Syrinx *sera remorqué dans un secteur proche de votre Empire, où nous le détruirons en compagnie de l'*Indépendance. *Les débris laisseront croire à une bataille entre les deux vaisseaux.*

*Un petit groupe de Romuliens sera découvert à bord d'une navette de sauvetage. Le seigneur Kazanak se trouvera parmi eux. Il dira que le* Syrinx *présentait de graves anomalies de conception, et abandonnera l'ingénierie pour se consacrer à une carrière politique.*

— Vous êtes fou, cracha Valak. Ça ne marchera jamais !

L'ambimorphe se tourna vers lui ; le Romulien se trouva soudain face à un double parfait de lui-même.

— Je pense que si. Votre espèce est hautement agressive. Elle a besoin qu'on la guide de façon subtile. Même si nous n'y parvenons pas, nous en profiterons pour apprendre comment vous vivez : à la fois sur votre planète natale et avec nous, à bord de l'arche.

— Non ! Picard, vous ne pouvez pas les laisser faire !

— Vraiment ? N'alliez-vous pas nous ramener sur Romulus pour nous torturer et nous réduire en esclavage ? Vous étiez même prêts à nous tuer jusqu'au dernier. Et vous osez réclamer mon aide ?

Valak déglutit ; luttant pour contrôler ses émotions, il se redressa de toute sa hauteur.

— Ce n'est pas encore fini, déclara-t-il, la voix pleine d'une rage contenue. Nous nous battrons pour retrouver notre liberté, ou nous mourrons comme des guerriers.

— Vous ne pourrez pas vous échapper, commander, intervint Vishinski. Les ambimorphes sont télépathes. Ils découvriront vos plans avant que vous les mettiez à exécution. Sans compter qu'ils peuvent vous anéantir d'une simple pensée.

— Malgré ce que vous avez fait, j'essaierais de vous aider si je pensais que les ambimorphes vous veulent du mal, dit Picard. Mais je suis persuadé du contraire. S'ils avaient voulu vous tuer, vous seriez déjà morts.

« Vous êtes un militaire, Valak, mais aussi un érudit. C'est ce qui vous sauvera. Mesurez-vous l'incroyable chance qui s'offre à vous ? Etudiez les ambimorphes, et vos travaux seront un jour d'une grande aide pour votre peuple.

Valak dévisagea Picard pendant quelques secondes, puis hocha la tête.

— La partie est donc finie, soupira-t-il. Et vous avez gagné.

— Disons que nous avons fait match nul, puisque les ambimorphes sont intervenus, dit Picard, conciliant.

Valak secoua la tête.

— Vous auriez gagné de toute façon. Les otages se sont échappés seuls du *Syrinx*, et Riker avait vaincu Korak. Grâce aux armes récupérées sur l'*Indépendance*, ses hommes auraient pu libérer leurs camarades et saboter notre vaisseau. Beaucoup seraient morts, mais ça n'aurait pas changé le résultat.

Il se tourna vers Riker.

— Mes compliments, commander. Korak n'aurait pas dû vous sous-estimer. J'avais un meilleur vaisseau, et je croyais mon équipage supérieur au vôtre. Sur ce dernier point au moins, je me trompais.

« Peut-être vaut-il mieux que je reste sur l'arche. Après avoir échoué, je n'aurais pas reçu un accueil très chaleureux sur Romulus. Dans le meilleur des cas, c'en aurait été fini de ma carrière.

— Votre carrière militaire, sans aucun doute, répliqua son double. Mais votre vie d'érudit ne fait que commencer. Je suis sûr que vous la trouverez... stimulante.

Valak sourit amèrement.

— Peut-être. Au revoir, capitaine Picard. Même si son issue ne me convient guère, notre duel fut des plus intéressants.

Les gardes le firent sortir de la salle.

— Il semble différent des autres, dit pensivement Llewellyn. Qui sait, tout n'est peut-être pas perdu pour les Romuliens !

— Il reste toujours un espoir, commander, souffla Picard. Aujourd'hui plus que jamais.

# ÉPILOGUE

Picard revint sur la passerelle après avoir accompagné Llewellyn et Vishinski en salle de téléportation. Etre à nouveau aux commandes de son vaisseau lui faisait du bien. Son équipage était libre et en sécurité.

Ils avaient frôlé le désastre. Pourtant, même sans l'aide des ambimorphes, ils auraient fini par s'en sortir. *Valak ne m'avait pas sous-estimé,* songea Jean-Luc, *mais il avait sous-estimé mon équipage.*

— Llewellyn et Vishinski sont-ils partis ? demanda Riker.

Picard hocha la tête.

— Oui, ils sont retournés à bord de l'arche, mais non sans me confier un rapport sur les trente années passés parmi les ambimorphes. Ce sera une lecture passionnante.

— Dire qu'ils sont partis de chez eux depuis si longtemps, et qu'ils ne pourront jamais y revenir, murmura Riker.

— L'arche est leur « chez eux », à présent, dit Picard.

— Monsieur, intervint Data, je reçois une communication d'Hermeticus II. Ils sont prêts au départ.

— Sur écran.

L'équipage regarda l'arche se mettre en mouvement avec une lenteur majestueuse, puis gagner de la vitesse et passer en distorsion. Entraînant à sa suite l'*Indépendance* et le *Syrinx*, elle disparut.

218

— J'imagine ce que doit ressentir Valak, déclara Picard. Il croyait avoir gagné. Et il a perdu son vaisseau au profit des ambimorphes. Mais ce sera sans doute une expérience enrichissante pour lui.

— Penser que des ambimorphes se font passer pour des membres de Starfleet depuis trente ans est déconcertant. Croyez-vous que nous les démasquerons un jour ? s'enquit Riker.

Picard secoua la tête.

— Ils ont eu trop de temps pour peaufiner leur couverture. Ils pourraient être n'importe qui — même vous, numéro un.

— Je crains que mes côtes ne soient pas d'accord, grimaça Riker. J'aimerais pouvoir les ressouder à volonté. Contrairement à moi, un ambimorphe aurait eu assez de bon sens pour ne pas se bagarrer avec un Romulien.

— J'aurais cru que vous l'auriez aussi.

— Ça semblait une bonne idée, sur le coup.

— Pour l'instant, occupons-nous de revenir dans l'espace de la Fédération. Monsieur Data, programmez une trajectoire pour la base stellaire 39.

— Trajectoire programmée, zéro huit neuf point neuf cinq.

— Facteur de distorsion trois.

— Compris.

Picard s'adossa à son fauteuil et ferma les yeux un instant. Comme il était bon d'être de nouveau chez soi !

— En avant, ordonna-t-il.